우리, 삶의 조각을 합치려 해

우리, 삶의 조각을 합치려 해

유화

심정

정한

이희정

이동환

유진

성희

추천사

하나의 단어는 고유한 온기와 색깔을 가지고 있습니다. 슬픔, 기쁨, 추억, 아픔, 두려움, 어려움.. 나열한 단어들을 하나씩 마주하고 있자면, 강렬하거나, 때론 아련하거나, 또는 잊고 싶은 삶의 조각들이 떠오릅니다.

마치 완벽한 '삶'이라는 퍼즐이 있는 것처럼, 여기저기서 조각들을 꺼내어 대어 봅니다. 어떤 조각은 모서리가 녹슬고, 형체를 알아볼 수 없을 정도로 깨져 있기도 합니다. 또 어떤 조각은 거뭇거뭇한 먼지가 수북하게 쌓여 있어 꺼내기에 꽤 많은 용기가 필요하기도 하고, 오랜 시간 구겨져 있었는지 펼쳐보니 접힌 선이 선명하기도 합니다.

가지고 있는 여러 조각들로 '삶'이라는 퍼즐을 맞춰보려고 합니다. 몇 개의 조각들을 꺼내어 서로의 결합 지점을 어림잡은 후 잇기를 시도해 봅니다. 완벽히 들어맞을 것이라 생각한 조각들은 오히려 결합 자체가 불가하고, 서로를 긁습니다. 함부로 욱여넣다간 부서지기라도 할 듯 서로를 부정하기도 하죠. 재밌는 것은 아무렇게 널브러진 조각을 들어 이어볼 때 예상치 못하게 딱 들어맞기도 하다는 겁니다.

삶이란 그렇습니다. 태초부터 정해진 완성형 퍼즐이 있는 것이 아니라, 살아보면서 자연히 생긴 서로 다른 조각들을 대충이어나가면서 나만의 퍼즐을 만들어나가는 것이요.

<우리, 삶의 조각을 합치려 해> 속에는 일곱 작가의 삶이 들어가 있습니다. 각 작가들이 자신의 삶 속 어떤 조각들을 꺼냈고, 이를 어떻게 합쳤는지를 천천히 되돌아보는 시간을 가져보면 어떨까 합니다. 형태와 색깔, 온도, 습도, 그 어떤 것도 예측할 수 없는 누군가의 고유한 삶 속 조각들이 독자 여러분들이 이루고 있는 삶 속 조각을 꺼내어 보는 계기가 되었으면 좋겠습니다.

고유출판사 대표 **이창현**

차례

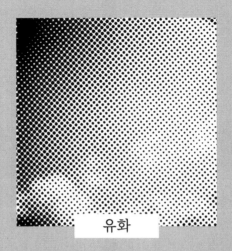

유화

환상통

1 진료와 처방

"환상통입니다."

맞은편에 앉아 있던 나에게 이것저것 물어보면서 뭔가를 열심히 적던 의사는 이제는 펜을 내려놓고 두 손을 깍지 긴 채 말했다. 책상 위를 비추는 스탠드 조명 빛이 차갑게 느껴졌다.

"일반적으로 환상통이라는 것은 신체 일부가 절단되어 물리적으로 존재하지 않는 상태임에도 그 부위와 관련해서 통증을 느끼는 것을 말합니다. 최근에는 새롭게 꿈과 관련된 환상통을 느끼는 사람들이 발견되면서, 이것을 DPP(Dream phantom pain)라고 명명하게 되었는데요. 어딘지 명확하게 설명할 수 없지만 아프다고 하셨던 통증이 바로 이것 때문이지요."

'DPP는 또 무슨 말이야?' 머릿속이 복잡했다. 잠을 자도 피로가 풀리지 않은 것은 오래되었지만 요즘 자꾸만 어딘지 형언할 수 없는 곳이 아프다 싶더니 이게 꿈 때문이라고? 동의할 수 없었다.

"저는 꿈을 꾸지 않은 지 오래되었어요, 피곤한 몸을 이끌고 집에 들어와 누우면 바로 잠이 들고, 눈을 뜨면 바로 다음 날 아침인걸요."

내 말을 들은 의사는 웃으면서 말했다.

"네, 그렇게 말씀하시는 것도 이해합니다. 하지만 잘 때 꾸는 꿈이 아니라, 우리가 가슴에 품고 살아가는 꿈 있잖아요?! 그 꿈을 말하는 겁니다. 이쪽을 한번 보시죠."

오른쪽 벽에 고정된 TV에 의사는 자신의 모니터 화면을 공유했다.

그곳에는 노란색 세피아 필터가 적용된 것처럼 보이는 사진이 한 장 있었다. 금빛으로 물든 풀숲 가운데 작은 동물로 보이는 무언가가 보였다.

"'어린 왕자'를 읽으신 적이 있으시군요?! 황금빛 밀밭과 여우가 한 마리 보이네요."
이 사진이 지금 통증과는 무슨 상관인가 싶어서 물어보려던 차에, 살짝 목을 가다듬은 의사는 말을 이어갔다.

"이 병을 치유하는 방법은 어딘가에서 놓쳤던 꿈을 다시 찾는 것입니다. 환자분께는 파울로 코엘료의 「연금술사」와 니시노 아키히로의 「꿈과 돈」을 처방해 드리겠습니다. 읽어보시고도 상태가 나아지지 않는다면 2주 후에 다시 뵙도록 하겠습니다."

왜 기한은 2주 후인지 따로 설명을 듣지도 못하고, 그 사진은 또 뭔지, 별다른 처방전도 없이 병원 문을 나서는 내 손에 쥐어진 것은 두 권의 책이었다. 그런데 손끝에서 느껴지는 만질만질한 책 표지의 질감이 나를 두근거리게 했다. 3월의 어느 날. 봄이라고 말하지만, 여전히 쌀쌀한 거리에는 추적추적 비가 내리고 있었다. 문득 내가 왜 이 거리에 서 있는지, 내가 다녀온 곳이 병원이 맞긴 한 건지 알 수 없는 것투성이였지만 여전히 나는 알 수 없는 통증을 느끼고 있었고, 손에 들린 두 권의 책을 보니 누군가를 만나긴 했다는 생각이 들었다.

"오랜만이네, 책. 한번 읽어봐야겠다."

나는 우산을 한 손으로 들고 다른 한 손으로는 책이 비에 젖지 않도록 품에 안았다. 집으로 돌아가서 따뜻한 커피와 함께 책을 읽어볼 생각을 하자 입가에 미소가 번졌다.

월요일 아침이 되었다. 출근을 위해 양치를 하면서 거울을 보니, 눈 밑이 퀭한 내가 있다. 하루 만에 책을 모두 읽었기 때문일까. 침대를 벗어났지만, 여전히 피곤은 이불처럼 나를 덮고 있는듯했다. 어제의 기억이 잘 나지 않는다. 내가 어제 외출을 했던가?

창밖에서 내리던 빗소리가 기억난다. 나는 냉장고에서 냉수를 꺼내어 벌컥벌컥 들이켜다가 거실 테이블 위에 놓인 두 권의 책을 발견했다. 이 책들은 무엇인지 의문도 잠시. 무언가에 이끌리듯 책을 집어 들었다. 그리고 그 순간 나는 알 수 있었다. 이 책과 나 사이에는 서로를 끌어당기는 힘이 있다는 것과 이 책들이 요즘 느끼는 알 수 없는 통증을 해결할 열쇠라는 것 말이다.

2 내 꿈은 인테리어 디자이너

책을 읽고 난 후 내 삶에는 약간의 변화가 생겼다. 머릿속에 떠오른 한 가지 질문이 떠나질 않는다. '내 꿈은?' 결코 답을 하기 전에는 없어지지 않을 것 같다는 생각에 노트를 찾아 펼치고 펜을 들었다. 노트가 없을 때는 핸드폰 메모장과 녹음기를 활용했다. 앞으로의 2주라는 시간 동안 내가 잃어버린 꿈에 대해, 어디서 뭘 떨어뜨렸는지 나의 삶을 되짚어 찾아낼 것이다. 밥을 먹는 중에도, 출퇴근 길에도, 집에서도 생각하고, 그 생각을 눈에 보이고 귀에 들리는 결과물로 끄집어내는 것을 멈추지 않았다. 그런데 내가 지금 2주라고 했나? 그리고 그냥 꿈을 떠올렸을 뿐인데, 갑자기 잃어버린 꿈이라니? 여러 가지가 아리송한 것투성이였지만 그것은 내게 중요하지 않았다. 내 삶에서 꿈이라고 할만한 것이 무엇이 있을까, 비교적 최근부터 되짚어 보기로 했다.

사무실 직원들과 식당에 앉아서 메뉴를 주문하고 나는 앞에 놓인 스테인리스 물컵을 만지작거렸다. 물컵에 담긴 냉수의 차가움이 나를 생각의 급류로 이끌어 간다. 현재 건설회사에서 서류 업무를 맡고 있는 나는 어쩌다가 건설업에 발을 들이게 된 것일까. 역시 이런 생각은 점심시간에 주문한 식사가 나오기 전에 하는 맛이 있다. 나는 잠시 눈을 감고 그 흐름에 의식을 맡겼다.

대학교 4학년 1학기. 나는 교수님의 추천으로 취업계를 내고 엔지니어링 설계회사에 취업했다. 교수님은 학교 식당에서 근로장학생으로 일하던 나를 눈여겨보셨다며 성실하기에 추천한다고 말씀하셨다. 지금 생각해 보면 도망가지 않을 성실한 노비 하나를 팔아넘긴 것이 아닐까.

회사에 면접을 보러 오라는 말에 자기소개서를 쓰고 이런저런 면접 준비를 했다. 집에서 어머니가 매주신 넥타이가 익숙지 않았다. 불편한 넥타이는 마치 할머니 댁 마당에 있는 개의 목줄처럼 느껴졌다. 준비가 무색하게 사장님은 자소서를 읽어보지도 않았다. 그저 교수님은 잘 계시냐는 안부를 시작으로 몇 가지 간단한 질문으로 면접은 끝났다. 여름방학 때 친구들과의 여행계획이 있었기에 그 일정을 끝나면 바로 출근하라는 말을 들었다.

그렇게 2013년 7월 어느 목요일 나의 첫 출근을 하게 되었다. 많은 직장인의 바람인 칼퇴근을 나는 딱 이틀 해봤는데 바로 출근했던 목요일과 다음날인 금요일이었다. 주말이 지난 월요일 아침. 회의 마지막에 나를 찌르는 말이 나왔다.

"자기가 대단한 사람이라도 되는 양 6시가 되면 사라지는 직원이 있는 것 같은데, 상당히 보기 좋지 않아요. 주변에 가지 못하는 사람들에게 도울 일이 있을지 물어보며 함께 할 줄 아는 사람이 되어야지 자기 마음대로 집에 가고 싶으면 자기 사업을 하지 왜 취업을 한 건지 모르겠네. 아무튼 잘들 합시다."

이 말을 듣고 나서 내게 더 이상의 칼퇴근은 없었다.

월급 120만 원. 그마저도 첫 3개월은 인턴이라는 이름으로 25% 적은 90만 원. 4대 보험을 공제하고 나니 70만 원이 좀 넘는 돈이 나왔다. 그래도 학교 식당에서 점심시간마다 일하고 받던 19만 3천2백 원에 비하면 내게 큰돈이었기에 나름 만족했다.

이 일은 어떻게 된 것이, 일이 손에 익을수록 퇴근과는 거리가 멀어졌다. 사람을 상대하는 일이 아니라 나와 컴퓨터 그리고 전기만 들어오면 일을 할 수 있으니 보통 밤 10시 퇴근. 많이 늦으면 새벽 4~5시 퇴근이었다. 물론 출근 시간은 아침 9시로 동일했다.

가정이 있는 분들, 연차가 쌓인 베테랑들은 적당히 8~9시쯤 되어도 납기 일을 맞출 수 있겠지만 아직 그 정도 레벨이 되지 않는 나와 동기들은 대충 마무리하고 집에 가서는 다음날 마주할 상황이 머릿속에 그려졌기에 쉬이 자리를 털고 일어나지 못했다.

지나가면서 내가 설계한 건물을 보게 되는 것은 참으로 신기한 일이었다. 그때부터였을까 사람이 살아가는 데 필요한 3가지 요소인 의식주 중에서 하나를 차지하는 건물인 공간을 직접 디자인하고 꾸미는 것은 '얼마나 멋질까' 하는 마음이 생긴 것 같다.

설계도를 그리는 일은 몇 년 하다가 건강이 나빠져서 결국 그만두었다. 인테리어 시공업자에 대해 큰 피해 사례와 함께 사기꾼들이 많다는 인식이 퍼져있었고 제대로 배우기도 쉽지 않을 거라는 생각에 마음을 접게 되었다.

이것도 내가 외면하고 묻어버린 꿈이었을까? 짧은 생각을 하는 동안 주문한 식사가 나왔다. 일단 생각을 멈추고, 나는 숟가락을 집어 들었다.

3 내 꿈은 보건교사

언제나처럼 점심 식사를 위해 사무실을 나서면 사원증을 목에 건 많은 사람을 만나게 된다. 이미 식사를 마치고 저마다의 일터로 돌아가는 그들의 손에는 모두 다양한 브랜드의 테이크아웃 커피잔이 들려있다.

커피는 이미 기호의 영역을 넘어 소통의 영역이 된 것일까? 그들은 커피 그 자체보다는 함께 무언가를 마시며 시간을 공유하는 게 좋거나 아니면 혼자 무리에서 빠져 빈손으로 돌아오는 것이 어색했거나 둘 중의 하나지 않을까 하는 상상을 혼자 해 볼 뿐이었다.

나는 식사를 마치면 탕비실에서 커피를 마신다. 뜨거운 물을 조금만 받아서 커피 분말을 넣고 텀블러를 휘휘 돌려 녹인 후 뜨거운 물을 추가해서 진하게 마시는 쌉싸름한 맛이 좋다.

소통보다는 잠깐의 사색을 선택한 나는 또 짧게 자신을 돌아본다. 나는 과연 다른 이유 없이 오로지 커피 맛을 느끼기 위해 커피를 마시는 사람일까.

건설 분야에서 일하게 된 이유가 단지 전기공학과에 진학하고, 설계 회사에 취업했기 때문이라면 나는 내 꿈을 선택한 것이 아니다. 그저 눈앞에 보이는 것 중에서 괜찮아 보이는 것을 배정받은 것이다. 고등학교 3학년 때 나는 줄곧 간호학과를 지원했기 때문이다.

내가 간호학과를 목표로 하게 되었던 동기는 썩 올바르지 못했다. 바로 보건교사가 되어 우리 학교 보건 선생님 자리를 차지하고 싶었기 때문이다. 선생님은 열심히 일하셨겠지만, 그 시절의 내 눈에는 정말 놀면서 돈을 버시는 것으로 보였고, 놀면서 돈을 버는 것은 내 꿈이었다.

아침에 출근하여 양호실에서 혼자 차 한잔하면서 하루를 준비하고, 학생들이 축구하다가 넘어져 보건실에 오면, 수돗가 가서 상처를 씻고 오라고 말하고 빨간약과 후시딘, 밴드만 꺼내주면 되었다.

특히나 책임 소재는 절대 만들지 않으셨는데, 아프면 보건실에서 쉬는 것보다 조퇴하고 병원을 가 볼 것을 권하는 선생님 덕분에 '보건실 침대는 아무도 누워본 적이 없는 새것이다.' '선생님은 누가 보건실에 있는 자체를 싫어하신다.'라는 말이 돌았고, 이렇게만 해도 되는 것이라면 의학적 지식이 없는 나도 당장에 할 수 있을 것 같았다.

그런데 보건교사가 되려면 간호학과를 가야 한다고 하니 내 목표는 자연스럽게 간호학과 진학이 되었다. 담임선생님은 아니셨지만, 생물 과목을 담당하셨던 선생님께서는 꿈은 선포할수록 가까워진다며 학생들이 진학할 학과의 직업으로 학생들을 부르셨다. 누구는 검사로 누구는 경찰로, 누구는 의사로, 선생님으로 부르셨던 것처럼 나는 간호사로 부르셨다.

수시로 지원했던 간호학과들은 다들 내게 한 자릿수의 예비 번호만을 허락하고 합격은 허락지 않았다. 계속 떨어지다 보니 합격자 발표를 조회하기 위해 대학교 홈페이지에 들어가는 것도 힘들었다. 일단 들어만 가면 놀고먹을 길이 열려있는데 들어가지 못하고 번번이 떨어지는 내 모습이 답답하던 중 담임선생님은 이때를 노려 유혹의 손길을 내미셨다.

　최고이자 최선에 선택을 방해하는 적은 최악이 아닌, 차선이라 했던가. 간호학과만 고집하지 말고, 안전한 국립대 전기공학과도 하나 넣어두라던 말씀. 대한민국이 아무리 땅덩어리가 작아도 건물은 계속 짓고 건물이 생기는 곳은 당연히 전기가 필요하다며 취업은 걱정 없다는 그 달콤한 말에 눈이 어두워진 나는 전기과에도 원서를 하나 넣었다.

　수능 당일, 아침에 뭐 하나 빠뜨린 것 없이 잘 챙겼냐는 아빠의 걱정 섞인 물음에, 내가 애냐며 다 알아서 하니까 걱정은 붙들어 매라고 큰소리를 쳤는데 정작 내가 시험장에 가지고 들어간 것은 수험용 가방이 아닌 독서실용 가방이었다. 그 사실을 깨달은 나는 온몸에 피가 빠져나가는 기분이었다.

　시험장 앞에서 종이컵에 담긴 따끈한 어묵 국물을 홀짝이며 담임선생님과 농담 따먹기를 하던 내 모습이 잘게 부서져 사라졌다. 북을 들고 수능 대박을 기원하며 응원하러 나온 동아리 후배들에게 하나도 떨리지 않는다며 온갖 허세를 부리던 내 모습도 역시 사라졌다. 자신감 있던 모습은 온데간데없고 눈앞에서 신분증을 요구하는 감독관의 모습만이 지독한 현실임을 깨닫게 해주었다. 수험표는 팔랑팔랑 손에 들고 왔으니 있었지만, 지갑은 분명 수험용 가방에 넣어뒀다. 다만 인정할 수 없었던 것일까, 독서실용 가방 안에서 애꿎은 문제지와 프린트를 뒤적거리는 손은 지갑을 찾는 무의미한 동작을 반복하고 있었다.

　"학생 신분증 빨리 보여주세요. 어서!"

목구멍이 꽉 막히고 시험장 천장이 빙그르르 도는 것 같은 기분에 휩싸였다. 순간 나는 새벽 인력사무소에 있는 나를 떠올렸다. 나는 일감을 기다리면서 추운 손을 비비며 커피믹스를 홀짝이고 있었다. 친구들은 대학교 과 잠바를 입고 즐거운 캠퍼스 생활을 할 텐데 나는 첫 단추부터 잘못 끼웠다는 생각에 막막했다. 주마등이 있다면 이런 것일지 짧은 시간 동안 한 편의 드라마를 보는 것처럼 꼬인 내 인생을 상상했고, 힘겹게 입을 열어 대답했다.

"제가...신분증을 집에 두고 온 것 같습니다."

내 말이 끝남과 동시에 앞뒤 좌우 대각선에 앉은 이들의 입에서는 짧은 탄식이 터져 나왔다. 특히나 뒷자리에 앉았던 친구 놈은 "와 미친놈, 어떡해"라는 말을 덧붙였다. 아마도 신분증도 가져오지 않았으면서 감독관이 들어오기 전까지 뒤를 돌아보며 희희낙락 떠들어대던 내 모습이 생각났기 때문이리라.

"어서 행정본부에 가서 신분증 가져오시도록 집에 연락하세요."

시험 안내 방송을 뒤로하고 본부로 달려가는 다리가 후들거렸다. 본부 유선전화를 통해 아버지 핸드폰으로 전화를 거는 손가락이 자꾸만 다른 버튼을 눌러서 몇 번이고 다시 걸었다.

"학생 떨지 말고 천천히 하세요."

나를 안심시키려는 관계자의 위로가 잘 와닿지 않다. 떨지 않는 것과 천천히 하는 것 모두 내게는 너무 어려웠으니까. 결국 전화를 걸고 신호가 세 번이 갔을까 아버지가 전화를 받으셨다.

"아빠 전데요, 제가 집에 신분증을 놓고 왔어요. 가져다주셔야 하는데..."

이미 수능이 시작되었을 시간에 걸려 온 전혀 반갑지 않은 아들의 전화. 잠깐의 침묵.

"와 진짜 너 정말, 어휴 바로 갈게!"

전화를 끊고 창밖으로 보이는 텅 빈 운동장을 보는데 왜 그렇게 눈물이 날 것 같은지. 애꿎은 손톱을 뜯으며 눈물을 참았다. 시간이 얼마나 지났을까. 운동장으로 자동차 한 대가 질주해 오는 것이 보였다. 그 순간만큼은 아빠가 분노의 질주를 연기했던 폴 워커보다도 멋지게 보였다.

신분증을 받아 시험장으로 들어와서 앉음과 동시에 언어영역 듣기평가가 끝났다. 머릿속에는 '수능 조졌다'라는 생각이 들면서 포기하고 싶은 마음이 들었다. 하지만, 만점을 맞던 사람에게는 이런 시작이 큰 사건일지 몰라도, 70점이나 80점을 맞던 사람에게는 언어영역 듣기평가 여섯 문항을 풀지 못한 것이, 시험 자체를 포기할 만한 일은 아니라는 생각에 시험을 끝까지 보기로 했다.

이런 사고를 쳐놓고도 수능시험이 끝나자, 친구들과 나가서 놀 생각에 들떴다. 친구들과의 대화 주제는 당연히 신분증 없이 시험을 보러 왔던 나였다.

수능 결과가 나오고 찍었던 여섯 문항의 듣기평가 중에서 4개나 정답을 맞히는 기염을 토했다. 그리고 다른 과목의 성적도 여태까지 봤던 모의고사를 뛰어넘었기에 '간호학과 다시 원서를 써 볼까' 하는 생각을 해 봤지만, 수시로 썼던 국립대 전기과에 합격하였기 때문에 별수 없이 코가 꿰어 정시는 포기했다.

이후에 내가 가지 못한 길인 간호학과를 떠올리며 생각에 잠기곤 했다. 보건교사가 되기 위해서는 필수적인 교직 이수까지 하는 게 얼마나 보통 일이 아닌지 알 수 있었다. 설렁설렁 놀고먹을 생각이었던 나에게 간호학과는 결코 쉬운 길이 아니라는 것과 그 어려운 길을 통과한 보건 선생님은 대단한 분이라는 것을 말이다. 그럴 때면 나는 이솝우화에 나오던 「여우와 신 포도」 이야기를 떠올린다. 내가 갖지 못하고, 내가 먹지 못하는 포도를 향해 저 포도는 너무 시어서 맛이 없을 거라는 핑계로 자신을 속이는 이야기 속 여우처럼 말이다.

최선을 다하지 않고 차선을 선택했던 내가 만약, 좀 더 진심을 담아서 가보지 못했던 이 길에 열정과 에너지를 쏟았다면 이 길은 단지 가벼운 희망 사항이 아닌 내 꿈이라고 말할 수 있을 그런 길이 될 수 있었을까.

생각을 마치며 남은 한 모금의 커피를 삼켜 텀블러를 비웠다. 오늘따라 아메리카노가 유난히 쓰게 느껴졌다.

4 내 꿈은 우산

언제나처럼 퇴근길은 발걸음이 가볍다. 사무실에서 일을 마무리하고 밖에 나오자, 비가 한창 내리고 있었다. 이럴 때를 대비해서 접이식 우산을 회사에 하나 가져다 두길 잘했다고 생각했다. 우산을 쓰고 비 오는 거리를 걸을 때는 느리게 걸어야 한다. 빠른 걸음으로 걸어서는 종아리가 빗물에 다 젖기 때문이다. 발을 딛을 때는 앞꿈치부터. 집에 빨리 가고 싶은 마음은 이해하지만 이럴 때일수록 천천히 걸어야 비에 젖지 않을 수 있다.

가로등이 밤거리를 환하게 비춘 덕분일까. 아스팔트와 보도블록 위로 크고 작은 웅덩이가 있었고 그 위로 떨어진 수많은 빗줄기는 다시 왕관을 만들며 튀어 올랐다. 우산을 살짝 들어 가로등 불빛을 바라보며 잠시 생각에 잠긴다.

고등학교 2학년 시절. 학교에서는 수학여행 참석인원을 파악하기 위해 가정통신문을 나눠주었다. 우리 학교는 참 별난 학교였다. 학생들에게 다양한 선택을 제공하기 위해서였을지는 모르겠지만, 일본과 중국, 서울, 제주도 이렇게 수학여행 코스를 선택해서 갈 수 있었다. 같은 장소를 신청한 학생들끼리 숙소를 쓰고, 여행하는 식이었으니 같은 학급 친구들과 돈독한 추억을 만들기 위한 목적은 아니었을 것이다.

수학여행을 나눠어서 간다는 언질을 들었을 때부터 어머니께 일본에 한번 가보고 싶다고 종종 이야기했던 터라 가정통신문을 드리면서 대수

롭지 않은 듯이 여쭤봤다.

"수학여행 신청서 제출하라는데, 일본 가도 돼요?"

어머니께서 가정통신문을 읽는 시간이 길어지자 어렴풋이 외면하려 했던 현실이 나와 눈을 맞추는 것이 느껴졌다. 일본은 90만 원, 중국은 60만 원, 서울과 제주도는 30만 원. 회비의 액수는 가정통신문을 받아 들고 몇 번이고 읽어보면서 확인했기에 머릿속에 선명했다. 외면하고 싶었지만 외면해서는 결코 답을 낼 수 없는 것. 회비는 바로 중요한 핵심이었다.

한참을 말없이 계시던 어머니께서 말씀하셨다.

"그냥...제주도 가면 안 되겠니?"

그냥이라는 말 이후 잠시 말을 잇지 못하셨던 어머니의 침묵. 고등학교 2학년이었던 나는 그 속에 담긴 말하지 못한 마음의 크기를 헤아리지 못했다. 그저 일본에 가는 건 어려울 수 있다는 내 예상을 확정 짓는 선고에 울컥해서 어머니께 모진 소리를 쏟아내고 내 방으로 들어와 문을 닫았다.

힘 조절을 잘못한 탓일지 문을 세게 닫은 것 같아서 마음을 졸였는데 아니나 다를까 아버지께서 나와보라고 나를 부르셨다. 쭈뼛거리며 나온 나에게 앉아보라고 말씀하신 아버지는 내가 그동안 신경 쓰지 않고 살았던 이야기를 들려주셨다.

내가 누려왔던 당연한 것을 영위하기 위해서 부모님은 어떤 삶을 살고 계셨는지. 가족을 부양하기 위해서 아버지는 어떤 수고와 노력을 쏟으셨는지 몰랐다. 아니다 몰랐다는 건 거짓말일 것이다. 어머니와 아버지의 말씀과 행동에 조금의 관심만 있었어도 짐작은 할 수 있었을 것이다. 내가 외면한 것이 맞다.

눈물 콧물을 쏟으며 죄송하다고 말씀드리고 잠들었던 다음날. 어머니는 일본에 보내주겠다고 말씀하셨다. 괜찮다고 말씀드렸다. 감정이 상해서 하는 말이 아니라 정말 일본에 가지 않아도 괜찮았다. 나는 제주도에 동그라미를 친 신청서를 제출했고 수학여행 당일 제주도로 향하는 비행기에 몸을 실었다.

용두암과 도깨비 도로, 성산일출봉과 주상절리, 여미지식물원, 제주 민속촌 그리고 무슨 서커스인지 모르겠지만 몽골 꼬마들이 거대한 철창 안에서 오토바이를 타던 묘기까지. 시간은 꽤 지났지만 즐거웠던 수학여행이라 기억에 남는다. 하지만 그 기억보다도 어머니께 가정통신문을 드렸던 그 날. 아버지께 한 시간이 넘도록 얘기를 들으면서 죄송함과 감사함을 느꼈던 그 밤이 더 소중한 기억으로 남은 것은 왜일까. 우산 밖으로 내리는 비에 더욱 우산의 소중함을 알게 된 것일까.

5층입니다.

엘리베이터 문이 열린다. 벌써 집 앞에 도착했다. 문을 열고 들어가자 앉아서 장난감을 가지고 놀던 아이가 쪼르르 나와서 인사를 한다. 아이를 안아 올리며 생각한다.

항상 맑은 날만 있으면 좋겠지만, 인생을 살아보니 비가 내리는 궂은

날도 있는데 너는 언제 궂은날이 있다는 것을 알게 될까? 나는 네가 비는 내리지 않는다고 믿는 아이도, 너무 일찍 비를 맞는 어른도 되게 하고 싶지 않아. 그저 비가 오면 우산을 쓰고 종아리가 젖지 않게 천천히 걸을 수 있는 어른으로 자라주면 좋겠다.

너도 언젠가는 우산이 되어 누군가를 덮어주는 날이 오겠지. 그때는 네게 더 이상 우산이 필요 없을지도 몰라. 하지만 나는 언제나 너를 덮어주는 우산으로 남을 거라는 걸 기억해 주렴.

5 꽃과 나무

아침에 출근하면서 우편함에 꽂혀있는 가스요금과 관리비 고지서를 발견했다.

"어디 보자...관리비는 십육만...칠천원이고, 가스요금은 칠만...사천원이네."

봄이 온 만큼 날씨가 더 따뜻해진 덕분인지 관리비는 전달과 비슷했지만, 가스요금은 훨씬 줄어들었다. 고지서를 주머니에 접어서 넣는데, 바닥에 새카맣게 변한 채 떨어진 목련 꽃잎이 보였다.

"목련이 벌써 지는구나."

꽃의 목적이 단지 꽃을 피우는 것에만 있다면 봄이 시작된 지 얼마 지나지 않아 목적을 다한 목련은 나머지의 시간이 얼마나 지루할까. 어릴 적 봤던 만화영화 중에 「베르사유의 장미」라는 만화가 있었다.

– 장미 장미는 화사하게 피고 장미 장미는 순결하게 지네 ♬

만화와 함께 나오는 노래 가사 때문이었을까 아름다운 꽃은 지면서도 아름다울 것으로 생각했다. 그래서일까 나에게 목련꽃은 언제나 끝은 아름답지 못한 꽃이었다. 내릴 때는 정말 아름답던 하얀 눈이 도로 위에서는 시커멓게 변하여 처치가 곤란한 애물단지로 변하는 것처럼 말이다.

그런데 꽃의 목적은 꽃을 피우는 것에 있지 않고 삶을 이어가는 것에 있다. 꽃이 져도 꽃나무는 그냥 살아간다. 그러다 보면 다시 꽃이 핀다. 어쩌면 내가 찾는 꿈도 이루면 그것으로 끝인 하나의 일회성 사건이 아니라, 이룬 후에도 계속 삶을 지속하게 하는 무엇이지 않을까?

얼마 전에 읽었던 「꿈과 돈」이라는 책에서 '너는 왜 꿈을 포기했어?' 라고 묻던 프롤로그가 나를 몹시 아프게 했다.

–정말 좋아하는 것은 취미로만 해. 취미가 직업이 되면 더 이상 좋아

만 할 수는 없으니까.

어른들한테서 많이 들었던 말씀이다. 남의 주머니에서 돈 빼오는 게 쉽지 않은 일이다 보니 취미를 업으로 삼는다면 결국은 좋아했던 것을 하나 잃어버리는 것이라고 말이다.

내가 좋아하면서 잃어버리지 않기 위해 취미로만 남겨둔 것은 무엇일까? 나침반의 빨간색 바늘이 흔들릴지언정 결국에는 북쪽을 가리키는 것처럼 내 다리는 열심히 걷고 있지만 생각은 천천히 글쓰기를 가리켰다.

나는 글을 쓰는 것이 좋았다. 글쓰기와의 첫 만남은 초등학교 때였다. 1학년에 입학하고 각자 특별활동을 신청했는데 종이접기 활동이 인기가 있었다. 금세 정원이 차버려서 가위바위보를 했고, 나는 여러 번의 패배를 반복한 결과 정원 미달이었던 글짓기 활동에 배정되었다.

준비물로 어머니께서는 문구점에서 200자 원고지를 여러 장을 구매하여 구멍을 뚫고 검은색 플라스틱 재질의 겉표지로 감싸 철끈으로 묶어서 내게 주셨다. 글짓기 수업 첫 시간. 이미 원하던 활동에 가지 못해 속상했던 어린 나는, 원고지 쓰는 법에 대한 수업에 질려버렸다.

앞으로 글짓기는 절대 하지 않을 거라 다짐했던 나였지만 원고지가 아닌 노트에 생각을 적는 것은 좋아했다. 어딘가로 옮기지 않는다면 스쳐 지나가 사라질 수 있는 내 생각들도 글로 써서 남길 수 있다는 것이 멋졌기 때문이다.

중학교 때 처음으로 「연금술사」라는 책을 읽었다. '마크툽'이라는 글귀가 가장 기억에 남았는데 '기록되어 있다. / 어차피 그리될 일이다.'라는 뜻이었다.

이 글귀는 나에게 나는 어차피 그리될 것. 될 대로 되라며 삶을 내던지는 허무주의가 아닌, 확신으로 다가왔다. 마음껏 꿈을 꾸고 내딛는 모든 발걸음은 어차피 그렇게 될 일이었다고 한다. 그날 넘치는 지지와 격려 덕분이었을까 나는 처음으로 글을 쓰고 싶다는 꿈을 가졌다.

"그래, 나는 글을 쓰고 싶었어."

무심코 입 밖으로 터져 나온 말과 함께 이번에는 발걸음도 멈췄다. 순간 주변이 전부 끝을 알 수 없는 황금빛 밀밭으로 변했다. 마음속 깊은 곳으로부터 두근거리는 심장박동 소리가 멀리서 천둥이 치는 것처럼 들려오기 시작했다.

지난날 꿈과 돈은 함께할 수 없다고 생각했다. 꿈만 좇는 이상론자가 되고 싶지도 않고, 돈만 좇는 속물이 되고 싶지도 않은 채 그 어느 것 하나 선택하지 못한 내가 얻은 것은 어중간한 돈과 멀어져 보이지 않는 꿈이었다.

꿈은 곧 직업이 아니었다. 편하게 돈을 벌면서 취미생활이나 하려고 보건교사를 생각했던 것도, 취업이 잘된다는 소리에 전기과를 진학했던 것도, 돈을 좀 더 일찍 벌 수 있다는 생각에 4학년 1학기를 마치고 설계회사에 들어간 것도 모두 직업만을 위한 선택이었다.
꽃이 피는 것과 지는 것에 상관없이 나무는 그대로 살아가며 내년을 준비하는 것처럼, 내 삶에 크고 작은 일들과 상관없이 온 열정과 에너지를 쏟아부어 지속하고 싶은 것. 그것이 바로 꿈이었다.

꿈과 돈. 이 둘은 따로 생각해야 하는 것이 아니다. 꿈이 화살이라면 돈은 활이다. 활이 없는 화살은 결코 과녁까지 날아갈 힘을 얻을 수 없고, 화살이 없는 활은 목적을 잃었기에 시위에 자꾸만 화살이 아닌 다른 것을 걸어보며 목적을 찾으려 한다.

어딘지 모를 깊은 곳에서 느껴지던 통증이 무엇인지 이제야 명확해졌다. 저마다 꿈을 향해 달려가는 사람들을 보며 느낀 부러움이었다. 진정한 꿈을 위해 아무런 선택을 하지 못했던 후회였다.

나는 황금빛 밀밭에서 무언가를 열심히 찾고 있다. 손을 모아 소리쳐도 보고, 양손으로 밀밭을 해쳐본다. 하지만 내 목소리는 들리지 않고 두근거리는 내 심장 소리만 점점 커진다. 계속 찾아 헤매다가 밀밭 사이를 가로지르는 내리막길을 발견했다. 그리고 저 멀리 밀밭 중앙 작은 공터가 보였다.

나는 달린다. 언제나처럼 넘어지지 않기 위해서 몸을 살짝 젖히고 무게중심을 뒤로한 채 달리는 것이 아닌, 쏘아진 화살처럼 몸을 숙여 앞으로 고꾸라져 넘어질 것처럼 달린다. 넘어지지 않기 위해서 더 빠르게 다리를 움직인다. 숨을 잔뜩 들이마시자, 폐는 한껏 팽창한다. 심장이 뿜어내는 뜨거운 피는 온몸으로 퍼져나가며 그 두근거리는 소리는 이제 귓가에 울리고 있다. 속도를 이기지 못한 탓이었을까 넘어져 구르기도 많이 굴렀지만 다시 일어나 결국 도착했다. 그곳에는 작은 여우 한 마리가 있었다.
"미안해...내가 많이 늦었지?."

쭈그린 채로 가쁜 숨을 몰아쉬는 나에게로 여우는 아무 말도 없이 조용히 다가왔다.

"나 있지, 너를 정말 만나고 싶었어. 그런데 길을 잃어버렸어."

마치 더 말하지 않아도 안다는 듯 가만히 꼬리로 내 입을 가린 여우가 말했다.

"괜찮아, 나는 네가 올 거라고 믿었어. 네 글과 닮은 따스한 이 밀밭을 보며, 기다리는 시간마저 내겐 행복이었거든."

"나 아무래도 눈물이 날 것 같아."

나를 기다리는 시간마저 행복이었다고 말하는 여우의 말 때문이었을까. 두 뺨을 타고 눈물이 흐르기 시작했다. 여우를 품에 안았다. 가슴 깊은 곳에서 미안함과 그리움이 먹먹하게 차올랐으며 머리부터는 잃어버린 것을 다시 찾은 기쁨과 반가움, 안도감이 나를 덮었다. 복슬복슬한 여우의 털이 뺨을 간지럽혔다.

"그러면 나를 더 꼭 안아줘" 여우가 내 뺨에 얼굴을 부비며 말했다. 그렇게 나는 여우를 더 꼭 끌어안았다. 내가 사랑하는 나의 꿈, 나의 여우.

유치원 아이들이 버스에 타면서 엄마에게 손을 흔드는 모습들이 보인다. 나는 출근 중이었는데 왜 가만히 거리에 서 있던 것인지 모르겠다. '어딘가 아팠다'라는 기억이 있었는데 더 이상 통증은 느껴지지 않았다. 다시 발걸음을 떼려는데 무심코 혼잣말이 나왔다.

"나, 책을 써야겠어."

6 진료와 처방, 그 이후

"원장님, 처방으로 내리신 두 권의 책을 고르신 이유가 있을까요?"

창밖으로 우산을 쓴 채 두 권의 책을 품에 안고 걸어가는 환자를 보며 간호사가 물었다.

스탠드 불빛에 안경을 비춰보며 닦고 있던 의사는 별것 아니라는 투로 말했다.

"처방으로 내린 두 권의 책은 환자의 꿈에 대한 시작과 끝의 열쇠에요"

의사는 고개를 돌려 간호사를 바라보며 이야기를 계속했다.

"꿈은 사라지지 않아요. 오랫동안 외면했다 보니 그저 기억하지 못할 뿐이죠. 적절한 상황이 충족되면 꿈은 자연스럽게 그 존재감을 드러낼 겁니다."

"그렇다면 이번 환자도 원장님을 다시 뵈러 오는 일은 없겠군요?!"

얼굴에 드리운 걱정이 사라졌는지 간호사는 밝게 미소를 지으며 대답했다.

"환자분이 꽤 심각한 얼굴로 책을 처방받아서 나가시기에 괜히 걱정되었거든요."

"꿈은 이루면 사라지는 신기루가 아니라, 계속 삶을 살아가게 하는 생명 그 자체니까요."

간호사에게 말하며 의사도 일어나서 창밖을 바라보았다. 환자가 썼던 버건디 색깔 우산이 모퉁이를 돌아 사라졌다.

"아마 몇 차례 비가 내리고 목련이 떨어질 즈음이면 다 나을 겁니다. 그리고, 다시는 꿈을 놓지 않고 살아가겠지요."

7 꿈을 품고 사는 사람들

「그리고, 다시는 꿈을 놓지 않고 살아가겠지요.」 마지막 문장을 끝으로 화면 속에서 깜빡이는 커서를 가만히 응시하던 나는 담당자에게 이메일로 원고를 보냈다.

-딸랑

카페 문을 열고 들어온 사람을 향해 손을 들었다. 나와 눈이 마주친 사람은 카운터에서 음료를 주문하고 걸어와 내 맞은편에 앉았다.

"어구야~! 화 작가님 원고는 다 마무리 되셨습니까~!"
능청스럽게 말하며 의자 등받이에 편하게 기대는 이 사람은 유 작가.

나와 같은 작가다.

"응, 조금 전에 최종원고를 담당자에게 발송했어."

나는 어느새 차갑게 식어버린 커피를 홀짝이며 말했다.

"꿈이라... 참 멋진 소재야. 그러고 보니 화 작가에게 꿈이란 뭐야?"

의자에 앉아서 우아하게 곡선을 이루는 나무 팔걸이를 쓸어보며 유 작가가 말했다.

"혹시 '리젠시 블루'라고 알아?"

"리젠시 블루? 새롭게 출시된 스마트폰 컬러야?"

유 작가의 되물음에 나도 모르게 입 밖으로 웃음이 살짝 터져 나왔다.

"이 커피잔의 패턴 문양이야. 전에 카페 사장님께 커피잔이 참 예쁘다고 말씀드렸는데 그 이후로는 커피를 주문하면 꼭 이 잔에 담아 주시더라고, 자꾸 보니까 궁금해서 찾아봤어."

잔을 들어 남아있는 커피를 모두 마시고 커피잔을 유 작가에게 보여줬다.

"나에게 꿈은 내가 길들인 것을 책임지는 것이야." 커피잔을 자세히 들여다보는 유 작가를 보며 나도 의자 등받이에 편하게 기대서 말했다.

"처음에는 작은 관심이었지. 그런데 점점 익숙해질수록 다른 카페에서 커피를 마셔도 이 잔이 생각나더라고, 이제 이 잔은 나에게 특별해. 그리고 그 특별함이 결국 다시 이 잔을 찾게 만들지."

패턴을 바라보던 유 작가가 커피잔을 돌려주며 내 말을 귀 기울여 들었다.

"내가 꿈을 길들인 것처럼, 꿈도 나를 길들였나 봐. 꿈을 잊어버리고 살았을 때도, 꿈은 나를 책임지기 위해 찾아와 주었거든. 꿈과 내가 서로에게 이끌려 만난 것처럼. 이 책을 읽는 모든 사람이 자신의 꿈을 만났으면 해."

거대한 유리창 너머로 거리를 걷는 사람들이 보인다. 저마다의 꿈을 마음에 품고, 이미 통증을 극복했거나, 극복해 낼 그런 멋진 사람들 말이다.

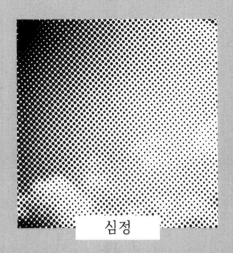

심정

틈이 있는 사람

틈이 있는 사람

우리는 1년 동안 못 푼 한을 풀듯이 카페에 앉아 끊임없이 대화를 이어갔다. 나는 마주 앉은 자세를 몇 번이나 고치고 손발을 얼마나 휘저었는지 모른다. "그러니까 있지…." 내가 이런 얘기까지 하고 있다는 생각을 하면서도 흐르는 말을 멈추지 못했다. 이들은 내 대학교 동창들이다. 정치외교학과, 생명과학과, 불어불문학과에서 복수전공으로 사회복지를 선택한 이들이다. 우리는 졸업 이후 일 년에 한두 번씩 만나며 근황을 공유했다. 대학 동창이라고는 오직 사회복지를 복수전공으로 하는 이들만 있고 각자 본인이 주전공으로 하는 모임에는 나가지 않았다.

어떤 사람들은 기피하는 사회복지학과를 굳이 복수 전공까지 하며 끈끈해진 이 모임은 꽤 오래 유지되고 있다. 졸업 후에 이들이 지금 하고 있는 일은 주전공도, 복수전공도 모두 관련이 없는 스타트업 회사 사장, 버섯 농가를 담당하는 농부, 공공기관 직원이다. 대한민국에 이바지하는 중소기업 대표들과 헌신적인 직장인들. 잘나가는 친구들 덕분에 이들과 같은 학교를 졸업했다는 이유만으로 괜히 나까지 위상이 서는 기분이 들었다. 하지만 나는 이들과 달리 딱히 하는 일이 없다. 정확히는 몇 년째 블로그에 글도 쓰고 영어 강사도 하면서 프리랜서로 성공해 보겠다고 허우적거리고 있는 사람이다.

착한 내 친구들은 "앞으로 네가 우리 중 제일 잘 나갈 거다.", "용기 있다." 하지만 정작 내 가족들과 이 사회가 나에게 냉소적이라는 기분을 떨칠 수가 없다. 내 친구들에 비하면 나는 곧 길거리에 나앉아도 이상하지 않을 만큼 딱 내가 하고 싶은 만큼 일하고, 쉬고 싶은 만큼 쉰다. 그들은 선택이 연속되는 게 싫증 난다고 했다. 사업을 꾸려나가며 결정해야 하는 일들이 많아질 때 아주 신물이 난다고. 나는 내 인생 자체도 신물 난다며 우스갯소리로 넘겼다. 그들은 선택도 힘들고 결혼도 힘들고 모든 게 힘들다고 얘기하는데 이상하게 그 자체로 살아있다고 느껴졌다.

나는 뭐가 힘들지. 어쩌면 힘들다고 느껴야 살아있는 걸까? 왜 고통이 있어야 행복도 있다고 요즘 유행하는 도파민 그런 거. 나는 고통만 있어서 행복이 없는 걸까, 행복만 있어서 고통이 없는 걸까.

친구들과 이야기하며 내 미래에 대해 두 가지 생각이 들었다.

첫째는 난 뭐든 할 수 있다. 난 아무것도 하고 있지 않으니까, 아무거나 시작할 수 있다고.

둘째는 근데 나 뭐 하지.

아, 셋째도 있다. 도망갈까.

그중 나는 셋째를 선택했나 보다. 도망갔다. 땅속으로. 반지하 집이나 뭐 그런 걸 얘기하는 게 아니다. 나는 정말 말 그대로 땅속에 있다.

나 분명 방금까지 친구들이랑 얘기하면서 다음에 또 보자고, 잘 지내라고, 웃으면서 인사했는데 왜 지금 여기에 있지. 스스로에게 벌 내리는 걸까. 친구들에게 너무 투정만 부려서 나에게 벌이 내려진 걸까. 내가 길거리에 나앉아도 이상하지 않다고 생각해서 정말 그렇게 되어 버린 걸까. 아님 나 혹시 죽은 걸까.

내가 스스로 여기에 들어온 것 같기도 하고 아닌 것 같기도 하고 기분이 묘했다. 내가 혼자 들어온 기억이 없는데 누군가 날 여기로 넣은 걸까. 여기 처박혀서 나보고 뭘 하라고. 아니지... 나는 애초에 뭔가 할 생각이 없었잖아. 여기에 있는 게 더 나은가. 생각하다 관자놀이로 눈물이 주룩 흘렀다.

사람들은 하늘을 날아 해외도 가고, 시골 내려가서 농사지으면서 헌

집 리모델링인가 뭔가 하며 잘 지낸다던데 나는 땅속으로 와버린 게 억울했다. 사람인지 동물인지 지나가는 소리가 들려 나도 모르게 숨을 죽였다. 왜인지 내가 여기 있다는 사실을 당장은 들키고 싶지가 않았다. 우리 집 강아지가 산책하면서 날 알아봐 주려나. 그렇다면 내가 여기 있다는 사실을 아는 유일한 생명체이겠다.

나는 겁이 많은 사람인데. 아냐 사실 나는 내 목소리를 낼 때만 무서워하잖아. 맞아 난 겁이 많지 않아. 여기선 나에 대해 떠들 필요도 없고 떠들면서 두려움을 느낄 필요도 없어. 그래도 영어 강사는 계속해 보고 싶었는데. 강사라는 직업을 가지면 다들 내 말에 귀 기울이는 것 같고 은근히 권력도 가진 것 같았단 말이지. 내 말이 다 맞다는 양 듣고 있는 사람들의 태도에 심취해 있었지. 여기선 그런 걸 할 수 없잖아. 여기서 나가볼까, 누군가 날 찾을 때까지 기다려볼까. 여기 땅속은 축축하고 어두운데 밤이 되면 추울 것 같아. 그래도 요즘 날씨가 풀려서 다행이야. 봄이 오면 참 예쁘겠다. 작년에는 벚꽃 보러 공원에도 놀러 가고, 바다도 가고 그랬는데 올해는 할 수 없을지도 몰라. 여기서 뭘 하며 시간을 보내지.

소리가 윙윙 울렸다. 내 귀에 바짝 대고 속삭이는 말처럼 들리고, 날 의심하는 눈초리가 보였다. 내 날카로운 신경은 외부로 향했다가도 그들이 나를 바라보는 시선을 따라 다시 나에게로 돌아와 박혔다.

대학생 시절 나는 사람들 앞에 서지 않으려 이리저리 피해 다녔다. 특히 발표만큼은 절대 하지 않겠다며 우겼다. 하지만 도저히 어쩔 수 없을 때가 있었다. 그럴 때면 어김없이 두려움에 떨었다.

어느 날은 내가 앞에서 얘기하던 중 갑자기 나와 나를 지켜보는 사람들 사이에 큰 틈이 생겨났다. 나는 놀라 그 틈에 빠지지 않으려 뒤로 막 도망치다 넘어졌다. 사람들도 놀라 눈과 입이 벌어진 표정을 지었다. 이게 도대체 무슨 상황일까.

그 순간 내가 어린 시절에 살았던 우리 집 마당이 떠올랐다. 허름하고 낡은 집에 딸린 콘크리트 마당이었다. 관리되지 않은 그 울퉁불퉁한 마당에는 틈이 참 많았다. 나는 비가 오는 날이면 움푹 팬 땅에 갈라진 틈 사이로 빗물이 주룩주룩 스며드는 걸 지켜봤다. 그러면서 어쩌다 이렇게 깨지게 되었는지, 왜 우리 가족은 이걸 메꾸지 않고 살아가는지에 대해 생각했다. 갈라진 틈 사이로 빗물이 흐르는 만큼 우리 집 돈이 빠져나가는 것처럼 느껴졌고, 창피했다. 그래서 우리 집 마당으로는 친구들을 초대하지 않았다. 그랬는데... 처음으로 틈이 있는 그 마당에 사람들이 들어와 있는 기분이었다.

알고 보니 그들은 틈이 아니라 뒤로 넘어지는 나를 보고 놀란 거였다. 수업이 마치고 교수가 나를 따로 불렀다.

"치료를 받아보면 어때요?" 그녀가 온화한 얼굴을 띄며 나에게 물었다. 그 얼굴은 꼭 모든 건 괜찮다는 듯한 표정이었고 가식은 없어 보였다. 예민한 나의 신경이 그녀의 표정을 읽으려 들었다.

"무슨 치료요?" 나는 무슨 의미인 줄 알면서도 한 번 더 물었다.

"학교에서 진행하는 심리치료가 있어요. 종합심리검사도 해주고, 비슷한 증상이 있는 사람들과 모여 전문가 상담도 받을 수 있어요."

"네, 한 번 생각해 볼게요." 하고 답하며 속으로는 '나는 그 틈을 한 번도 메꿔본 적이 없다'고 생각했다.

그날 이후로 친구들은 나를 걱정했다.

"금방 나아질 거야", "계속 겪다 보면 괜찮대"라고 말하며 나를 위로해 주었다.

나는 고맙다고 하며 씩 웃었다.

그즈음 나는 아르바이트를 하기 위해 여기저기 알아봤다. 동네 근처에 상가가 많아서 내가 할 수 있는 일이 많아 보였다. 카페, 제과점, 식당처럼 몸 쓰는 일들 사이에 눈에 띈 건 학원 보조교사였다. 학원에서 일하면 확실히 편하겠지. 자리에 앉아 학생들 조용히 시키고, 채점이나 하면 그만이니까.

"영어 잘해요?" 원장이 나에게 물었다.

"저 잘은 못하지만 고등학생 때 열심히 해봤어요." 나의 영어 실력에 확신이 없어 일부러 애매하게 답했다. 나는 해외에 나가 본 경험도 없었고, 외국인 친구는 더더욱 없었다.

"영어 시험 점수는 있어요? 토익이나 뭐 그런 거요." 내가 가장 걱정하던 질문을 그가 했다.

"없는데요..." 나는 괜히 스스로가 부끄러워 속으로 반항했다. '답지 보고 채점하는 사람 뽑으면서 까다롭네.'

그가 날 쓸 이유가 전혀 없다고 생각했다. 그런데 대뜸 그가 나에게 의외의 제안을 했다. "사실 지금 급하게 강사 자리가 비었는데 보조교사 말고 강사를 해보는 건 어때요? 당장 내일부터요."

그의 바람과 달리 내 영어 실력은 형편없었다. 더욱이 나는 사람들 앞에서 말을 못 하지 않나. 여러 이유들로 나는 못 하겠다고 했다. 그러자 그 원장은 강사 시급은 만 원이라며 소수정예 수업이라 부담 갖지 말라고 했다. 당시 시급이 칠천 원 정도였던 걸 고려하면 혹하지 않을 수 없었다. 나는 얼떨결에 하겠다고 했다. 어쩌자고 그랬을까. 시급이 가장 컸고, 그다음은 날 걱정하던 교수와 친구들의 말이 떠올랐던 것 같다. 겪다 보면 괜찮아진다는 그 위로가 정말 그럴지도 모른다고.

걱정과 달리 나는 첫 수업을 꽤 잘 해냈다. 하지만 이상하게 내가 말만 시작하면 그 틈이 나타났다. 저번에 본 이후로 이번에는 도망치지 않았을 뿐 나는 그 틈을 계속 보며 수업했다. 일주일에 두 번씩 나는 매번 거기에 빠지지 않으려 조심하며 수업을 이어갔다. 원장은 나에게 강의에 꽤 소질이 있다고 말하며 앞으로도 계속 강사 일을 맡아달라고 했다.

"저 근데..." 하고 원장을 부르다가 "아니에요. 알겠습니다." 하고 말을 멈췄다.

그건 나에게만 보이는 거니까. 내가 설명하면 아이들은 끄덕였고, 내가 시키는 대로 행동했다. 그럴 때 내가 얘기하는 것들이 스스로 가치가 있다고 느껴졌다. 그 이후로 나는 더 이상 두렵지 않게 되었다. 모든 게 좋아졌다고 생각했다.

"너는 뭐가 제일 무서워?" 나와 중학교 시절부터 꽤 친한 친구가 물었다.

나는 뭐 이런 걸 묻나 싶어 아직도 귀신이 제일 무섭다고 얼버무렸다.

"그럼 너는 뭐가 무서운데?" 내가 물었다.

"나는 연필. 이 세상 연필을 다 없애고 싶어." 하고 친구가 낮은 목소리로 답했다. 순간 얘가 나에게 장난을 하는 건가 싶다가 친구의 진지한 모습에 잠시 가만히 있었다.

"뭐야... 연필은 살아있지도 않고 요즘은 잘 쓰지도 않는데 뭐가 무서워."

"연필처럼 뾰족한 것들을 생각만 해도 온몸에 구멍이 날 것 같아."

나는 꼭 그 눈빛을 어디선가 본 것 같았다. 그 구멍이 뭔지도 알 것 같았다. 내가 예전에 사람들 앞에 서 있었을 때, 거기에서 도망쳐보려고 했을 때.

나는 끝내 내가 무엇을 무서워하는지 말하지 못했다. 집에 돌아와 연필처럼 뾰족한 게 또 뭐가 있는지 생각해 봤다. 주사기, 바늘, 이쑤시개, 송곳…. 일상생활에서 흔하게 볼 수 있는 것들이었다. 그럼 내 친구는 거의 매일 구멍이 뚫릴 것 같은 기분으로 살아가는 걸까, 아니면 이미 온몸에 구멍이 뚫린 채 살아가는 걸까.

다음날 다시 친구를 만났을 때 실제로 구멍을 본 적이 있는지 물어보려다 말았다. 혹시나 친구가 힘들어할까 흘끔 눈치만 보다 그럼에도 내 얘기를 해야 할 것 같아 입을 뗐다.

"어제 나한테 무서운 게 있냐고 물었었잖아" 괜한 얘기를 다시 꺼내는 건가 싶어 시선이 아래로 향했는데 친구가 신고 있는 신발이 보였다. 무심코 본 그 신발은 참 깨끗하고 예뻤다. 나는 '저거 새로 나온 운동화인가.' 생각하다 말을 이었다. "나도 무서운 게 있어. 난 틈이 보여. 어딘가로 떨어질 듯한 틈 말이야."

평소처럼 강의를 이어가는데 한 학생이 질문을 했다. 수업 시간이 촉박했고, 무엇보다 내가 잘 알지 못하는 내용이라 질문을 듣자마자 마음속에서는 이미 고개를 내저었다.

"글쎄, 그건 왜인지 모르겠네. 언어의 차이는 곧 문화 차이니까 문화가 달라서 그런 표현이 등장하지 않았을까?" 하고 답했다. 강의하는 일에 꽤 익숙해져 능청스럽게 넘기는 방법도 터득하고 있었다. 그럼에도 학생의 질문은 이어졌다.

"좀 더 자세히 알려주시면 안 돼요? 이런 건 그냥 외우기가 어려워요."

"네가 질문한 건 시험에 나올 것 같지 않아. 다들 30페이지 펼쳐볼까?" 하고 답한 뒤 나는 그랬으면 안 되었다고 곧바로 후회했다.

"네, 다시는 질문하지 않을게요." 학생은 태연하게 책을 넘기며 눈을 몇 번 깜빡거렸다. 반항심이 있거나 예의에 어긋난 듯한 태도는 전혀 아니었다. 마치 이런 일은 흔하게 겪었다는 듯한 체념이었다.

학생의 말이 내 몸과 마음을 서늘하게 만들었다.

'다시는 얘랑 놀지 말아야지.', '다시는 묻지 말아야지.', '다시는 말

틈이 있는 사람

하지 말아야지….'

나는 이런 생각을 꽤 자주 했던 것 같다. 뭔가 삐거덕거리는 일이나 관계에 있어서 크게 노력을 들이지 않으려는 일종의 방어막 같은 심리였다. 보통 거절당하는 상황이나 내가 부정당하는 상황에서 내 마음속에 셔터가 내려가는 소리였다. 생각해 보면 그럴수록 나의 목소리는 점점 작아졌던 것 같다.

나는 다음에 해야 할 말을 잊은 채 한동안 가만히 있었다. 몇 초가 흘렀을까, 나는 "미안해."라고 말했다.

그 일이 있고 나서 불편한 마음으로 며칠을 보냈다. 학생에게 사과도 했고, 학생이 괜찮다고도 했는데 계속 마음이 쓰였다. 앞에서 인격이 어떻게 형성되는지 설명하는 교수의 말은 귀에 잘 들어오지 않았다. 그의 차분한 목소리가 배경음이 되어 나의 고민은 더 깊어졌다.

"리비도와 방어기제... 출생 순위...정신분석... 이건 아주 중요합니다. 그 시대에…."

심리학 이론들을 설명하며 중요한 내용이라고 언급하는 그의 설명이 들려 교재를 한 번 살펴봤다. 한두 페이지로 정리된 이론들이 한눈에 보였다. 교수의 희미한 목소리와 대조적으로 그 글자들은 또렷하게 내 눈으로 들어왔다. 빠르게 교재를 훑으며 머릿속으로는 생각을 정리했다.

'나도 이런 유년 시절을 겪었는데.', '나는 우리 집에서 둘째인데.', '나는….'

나만이 가지고 있다고 생각했고, 절대 해결할 수 없다고 믿었던 내면의 것들이 한 페이지 이론으로 깔끔하게 정리되어 있었다. 내가 문제라고 생각했던 고민과 증상들은 과거부터 이미 수많은 사람이 겪어 왔고, 그 사례들을 연구한 학자들이 있었다. 그 이론들은 사회복지학 대표 과목의 대표 이론으로 위치하며 까만 글자들로 다닥다닥 붙어 있었다.

내가 힘들다고 여겼던 내 증상들이 이런 이론으로 정리되는 걸까. 내 증상은 특이하고, 유별나고, 그래서 그 누구도 절대 이해하거나 해결할 수 없을 거라고 그렇게 생각했는데….

그 모든 것들이 무너졌다. 억울함이 치밀면서도 마음이 한결 느슨해졌다. 그래 나는 고작 한 페이지 이론에 불과한 사람일 수도 있어. 난 특별하지 않아.

틈이 점점 커지기 시작한 건 그때부터다. 내 증상이 특별하지 않다는 사실을 알게 됐고, 틈이 보여도 도망가지 않으니까 다 괜찮다고 생각했는데 왜 더 커지는 걸까. 두려운 마음에 그때부터 뭔가 기록하기 시작했다.

맨 처음 시작은 내 친구와 나눈 대화 내용이었다.

난 실제로 틈을 본 적이 있어. 내가 사람들 앞에서 말을 하면 그게 나타나. 처음에는 너무 놀라서 도망쳤는데 이젠 무섭긴 해도 도망치진 않아. 다만 궁금해졌어. 왜 나에게만 이런 게 보이는 건지. 그런데 너에게도 비슷한 게 있다는 걸 알게 됐어. 우리는 형체는 다르지만, 무언가에 비슷한 두려움을 느끼고 있었어. 그 뒤로 혹시 다른 사람들도 우리와 같은 것들을 가지고 있지 않을까 생각했어. 나에게만 있다고 여겼는데 사실 다들 그런 걸 하나씩 갖고 있던 거야. 말하지 않고, 아무렇지 않은 척 살아가니까 서로 모를 뿐이지.

그 뒤에 못다 한 얘기를 덧붙였다.

우린 정말 하나의 이론에 불과할까? 이론의 한 줄, 사회의 규정, 획일화된 무언가에 우리를 맡긴 채 정상이 되길 바라는 일이 과연

틈이 있는 사람

다 좋다고만 할 수 있는 걸까? 내가 가진 것들을 뺏기는 듯한 느낌은 왜일까? 얼마나 괴로워야 적당히 살 만큼, 적당히 행복하면서, 적당히 자신을 간직한 채 지낼 수 있을까?

내가 글을 쓰면서도 '적당히'라는 말이 계속 거슬렸다. 내가 끔찍하게 무서워하는 것들을 아끼는 듯한 죄책감이 들었기 때문이다. 그 이후로도 시간이 나면 몇 글자씩이라도 적기 시작했다.

나는 그 글들을 꼭꼭 숨겼다. 핸드폰에 적고 비밀번호를 걸어두었으면 그만이지만 끝까지 아날로그를 고집하는 바람에 어쩌다 가족들에게 내 글을 들키곤 했다. 그럴 때면 너무 싫었다. 연애편지를 들킨 것처럼 "왜 남의 일기를 훔쳐보냐"며 매번 그들을 나무랐다.

내가 쓴 글들은 나의 목소리로 하지 못하는 말이었고 그래서 누군가 내 글을 보면 나오지 않는 나의 목소리가 억지로 끌어당겨지는 기분이 들었다. 그런 글들이 꽤 모여 얇은 책 한 권을 낼 수 있을 만큼 많아졌다.

'내가 하고 싶은 말이 이렇게나 많았구나.'

글을 쓰면서는 몰랐는데 모아두고 보니 나의 생각들이 한눈에 보였다. 그 글을 읽고 있으면 내가 이기적인 사람이라는 사실이 더 명확해졌다. 난 원래 그런 사람이라는 걸 알고 있었는데 정말 글에는 전부 다 나에 관한 얘기뿐이었기 때문이다. 정치나 사회에 대한 글, 환경보호를 위한 글, 경제와 관련된 글은 단 한 줄도 없었다. 심지어는 흔한 일기 형식인 '오늘 나는 누구를 만났다.', '무엇을 보아서 좋았다.' 등의 내용도 없다는 걸 깨달았다.

나에게는 나도, 타인도 없구나. 오로지 형체 없는 마음속밖에 모르는 사람이구나. 나에게서 끄집어낸 것들을 눈앞에 펼쳐놓으니, 스스로가 조금 무서워졌다. 그렇게 쓴 글들을 쭉 읽고 있으면 목구멍과 콧구멍 뒤로 침인지 무엇인지 모를 것이 흘러내려 꼴깍 겨우 삼켜냈다.

"네가 쓴 글 나도 좀 보여줘 봐."

내가 글을 쓰고 있다는 사실을 친구에게만 얘기한 적이 있다. 그 이야기를 나눈 지 꽤 시간이 지나서 잊어버린 줄 알았는데 친구가 나에게 대뜸 글을 보여달라고 했다.

"왜 갑자기?" 내가 경계하는 투로 말했다.

"나랑 대화한 내용 뭐 썼다며. 궁금하잖아."

나는 노트가 하나도 정리되지 않았다고 핑계를 대며 나중에 기회가 되면 보여주겠다고 했다. 그러곤 집으로 돌아가 지금까지 적은 내용들을 꼼꼼히 살폈다. 내가 쓴 단어, 내용의 순서, 문장 배열 모든 게 거슬렸다. 하지만 밤새 다시 읽어보기만 하다 결국 한 글자도 고치지 못했다.

다음날 덜렁 그 노트를 가지고 친구를 만났다. 친구를 보자 '내가 이걸 왜 보여준다고 했을까.' 후회했다. 집 안에서도 숨기기 위해 그렇게 애썼는데 이렇게 쉽게 바깥으로 가지고 나와버린 게 놀라웠다.

친구가 한 장, 한 장 노트를 넘기는 모습을 보자 다시는 질문하지 않겠다던 그 학생이 떠올랐다. 그제야 내 글을 왜 친구에게 보여주려 했는지 알 것 같았다. 아마 친구가 글을 보겠다고 먼저 말하지 않았다면 내가 봐달라고 애원했을지도 모를 일이었다. 그러고는 이어서 그 집, 틈, 우리 가족을 차례대로 떠올렸다.

지금껏 나는 거기에 빠져 왜 아무도 날 도와주지 않는지, 이런 나를 알아주지 않는지 발버둥 치다 맥없이 지쳐버리기를 반복하면서 글을 쓴 게 전부였는데 뭔가 이상했다.

내가 타인에 대해 생각한다는 건 상상도 할 수 없는 일이었다. 나의 아픔과 고난에서 빠져나오기가 쉽지 않다는 걸 알고 있기 때문이다. 그런데 나의 형체 없는 글을 읽고 있는 친구의 모습을 보며 나는 다른 사람들을 떠올렸다. 마음 한편이 이상했다.

나처럼 이기적인 사람은 좀처럼 다른 것들에 대해 생각하기 어렵다.
발버둥 치며 깊이 빠지고 있다는 사실을 깨닫기는 아무래도 어렵다.

그들에게 내 이야기를 하고 싶어. 지금껏 나는 틈을 메꿔야만 한다
고 생각했는데 그게 아니었어.

바깥에서 소리가 들렸다.

"나 좀 꺼내줘." 외부의 소리에 내가 반응했다.

심장이 쿵쿵 울렸다. 나의 틈에, 나의 몸에 물이 흘렀다. 주룩주룩 흘렀다. 해가 비춰 따뜻한 공기가 느껴졌다. 봄이었다. 숨이 후- 하고 나왔다.

발표하던 날, 틈을 처음 본 그때와 비슷한 두려움에 몸을 웅크렸다. 내가 좋아하는 시가 떠올랐다.

꽃을 피우는 위험보다 봉오리 속에 단단히 숨어있는 것이 더 두렵다[1]던 그 시….

두려움이 두려움을 이겼다. 나도 이 땅속이 두려워졌다.

나는 원래부터 땅속에, 여기 틈 안에 있었다. 스스로 들어오거나 누군가가 나를 떠민 게 아니라 애초에 여기 있었다. 나는 일어나 틈에서 걸어 나왔다. 아주 간단했다. 그리고 뒤돌아 내가 나온 곳을 바라보았다. 틈에서 걸어 나왔다는 사실만큼이나 내가 뒤를 돌아보았다는 게 놀라웠다. 그건 내가 처음으로 해보는 일이었다. 여전히 그 틈에는 내가 있었

◇◇◇◇◇◇◇◇

1 Elizabeth Appell - Risk

고, 두려움이 느껴졌다. 또 어떤 일로 두려워하고 있는 걸까. 그것들에 사로잡혀 있는 나를 지켜보며 안쓰럽다고 생각했다.

잔디를 심은 예쁜 마당이었다면 괜찮았을까, 내 의견이 존중받았더라면 나는 더 괜찮은 사람이 되었을까, 다시는 말하지 않겠다는 다짐을 하지 않았다면….

하지만 나는 그런 것들을 꽤나 아낀다는 걸 이제야 알았다. 생각해 보면 나는 다시는 쓰지 않겠다는 다짐은 한 적이 없다.

나에게 그런 것들이 몇 개 더 있을 거야. 흠인 것 같지만 썩 괜찮은 그런 것들 말이야. 그것들과 함께 나는 다시 몇 번이고 거기에서 나올 거야. 계속 고유한 내 이야기를 해 나갈 거야.

'쿵쿵'

우리 집 강아지가 나에게 코를 대고 있었다. 마치 한동안 나를 찾고 있던 것처럼 그의 눈이 반짝거렸다. 나는 작가가 되어 있었다. 꽃을 피우는 위험을 무릅쓰고 마치 기적처럼.

틈이 있는 사람

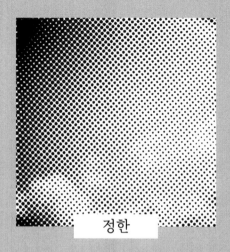

정한

저승에 오신 것을 환영합니다

<1부> 저승으로 가는 길

"이제 나가줬으면 해."

"…네?"

"가능한 한 빨리."

"…지금 헤어지자고 한…거죠?"

"응."

"…혹시나 해서 묻는 건데… 우리 연인…이었던 거 맞죠?"

"응."

"…이유가?"

"나 결혼해."

"만약에… 내가… 죽을병 걸렸다고 애원하면… 바뀌는 거 있어요?"

"돈 필요해?"

"…그렇긴 한데… 아닌 것 같기도… 하고…"

"그럼, 알아들은 걸로 하고 최대한 빨리 정리해 줘."

그 사람은 거실에서 잡지를 보면서 말했고, 나는 부엌에서 냉장고 문을 연 채 안을 보며 말했다. 속이 불편해서 찾았던 병원은 나를 큰 병원으로 보냈고, 여러 가지 검사와 긴 대기 끝에 만난 교수는 내가 곧 죽을 거라고 했다. 그 사람에게 어떻게 말해야 하나 고민하다가 문득 우유가 다 떨어진 게 떠올랐다. 그 사람은 커피에 우유를 꼭 넣어 마시는데…. 병원을 나와 편의점에서 우유를 사서 집에 도착했는데 그 사람이 있었다. 멍하니 냉장고 안을 들여다보며 대답하던 나는 유통기한이 지난 우유를 사 왔다는 걸 알았다.

저승에 오신 것을 환영합니다

"잠시만요."

우유를 들고 집을 나섰다. 편의점에 가서 바꿔올 생각이었다. '가능한 한 빨리'라는 건 어느 정도의 기간일까? 곧 죽을 거라는 건 언제를 말하는 걸까? 횡단보도에서 신호를 기다리고 있었다. 곧 죽는다니까 일단 집부터 나와야겠지? 설마 그 잠깐 사이에 죽는 건 아니겠지? 신호가 바뀌었다. 비닐에 담긴 우유가 흔들거렸다.

멍하니 걷다가 문득 앞을 보니 맞은편에서 걸어오던 사람들 표정이 이상하다. 입을 막는 사람도 보인다. 곧, 나는 뭔가에 부딪혀 붕 떠올랐다가 거세게 땅으로 내동댕이쳐졌다. 몇 바퀴 구르다가 멈추었다. 눈앞에 터진 우유갑이 보였다. 도로가 온통 하얬다. 아… '곧'이 지금이구나. 그에게 내가 병으로 죽는다는 걸 알릴 필요도 없었고, 그가 말한 '최대한 빨리'도 들어줄 수 있었다. 고민할 필요가 없었구나. 눈을 감았다. 내가 이미 죽었음을 알 수 있었다.

*

그런데 뭘까 이건. 조금 전에 죽었던 나는 그 사람의 오피스텔 문 앞에 서 있었다. 손에는 우유가 든 비닐을 든 채. 시간은 저녁. 우유는 유통기한 날짜가 넉넉하게 바뀌어 있다. 문을 열었다. 아무도 없다. 내가 쓰던 방문을 열었다. 모두 그대로다. '최대한 빨리 정리해 줘.' 그의 목소리가 들리는 듯했다. 가방을 꺼내서 보이는 대로 넣었다. 방을 둘러보는데 손에서 비닐 소리가 난다. 아직도 우유를 들고 있다. 잠시 고민하다 우유를 냉장고에 넣고 가방을 들고 집을 나왔다.

"머리 쪽 부상이 심합니다. 현재 수술 중이긴 한데, 최악의 상황도 생각해야 하는 상태입니다."

수술이 끝나고도 삼 일째 의식이 돌아오지 않고 있다. 중환자실 면회 시간에 잠깐 얼굴 보는 게 다였다. 기도도 애원도 없었다. 그는 그녀를 바라보며 계속 생각해 오던 말을 다시 떠올렸다. '이건 아니야. 이런 건 아니야.'

3년을 함께 한 사람이었다. 집을 나가달라 한마디 했을 뿐인데, 그녀는 내 인생이 아니라, 자기 삶에서 나가려 하고 있다. '내가 잘못했나? 헤어지자고 한 게 잘못인가? 내가 갑자기 말해서 그래? 남들은 이별하자고 하면 울던데, 너는 왜 병실에 누워있어? 곧 죽을 사람처럼 왜 그러고 있어?' 내내 중환자실 근처 의자에 앉아 있다가 사흘 만에 집에 왔다.

사고가 났던 날, 그녀는 냉장고 안을 보고 있다가 나갔다. 냉장고 문을 열었다. 우유가 있다. 우유? 그날 그녀가 나간 뒤에 커피를 마시려고 우유를 찾았을 땐 없었는데…. 그녀가 쓰던 방문을 활짝 열었다. 없다. 그녀의 짐이 없다. 심장 뛰는 소리가 커진다. 바로 오피스텔을 뛰쳐나와 택시를 타고 병원으로 향했다. 중환자실로 뛰어갔다. 온몸에 붕대를 감고 산소호흡기를 한 그녀가 아까와 같은 모습으로 누워있다.

"이지현!!! 너 뭐야!!! 너 지금 깨어난 거지!! 짐 다 싸고 방 비운 거 네가 한 거지!!! 왜 계속 자는 척해!!!"

간호사들이 달려온다.

"빨리 눈떠!!! 이지현!!! 다 네가 한 거잖아!!! 내가 빨리 나가랬지, 언제 죽으러 가랬어!!! 내가 언제 죽으라고 했냐고!!!"

– 전신 검사 중에 췌장암 말기 진단이 나왔습니다. 혹시 알고 계셨습니까?

"내가 죽을병 걸렸냐고 물었을 때 아니라고 했잖아!!!"

*

짐을 들고나왔는데 당연하게도 갈 곳이 없다. 그냥 걸었다. 버스터미널이다. 오피스텔에서 터미널이 걸어서 갈 거리였던가? 기억이 안 난다. 사람들 사이에 섞여 터미널로 들어갔다. 버스를 타기 위한 줄이 길게 늘어서 있다. 나도 줄을 섰다. 명단을 확인하는 사람이 있다. 이름과 생년월일을 말하자 고개를 끄덕인다.

"짐은 가져가실 건가요?"

그러고 보니 필요한 게 없다. '아니요.'라고 말하고 근처 쓰레기통에 짐을 버렸다. 버스에는 출발지도 도착지도 적혀있지 않다. 줄은 길지만 빠른 속도로 줄어들고 있다.

기계에서 나던 소리가 커졌다. 의료진들이 달려갔다. 지현이 안 보인다. 곧 '띠–' 소리가 나고 사람들이 바쁘게 움직인다. 지현이 안 보인다.

내 차례가 왔다. 버스에 올라가서 빈자리에 앉았다. 옆에 웃는 낯의 할아버지가 말을 거신다.

"아이고, 젊은 사람이네. 하긴 저승길 가는데 나이 순서 없지."

아, 난 죽은 게 맞구나. 지금 내 처지를 몰라 조금 걱정됐는데 이미 죽었다니 다행이다. 웃으면서 '안녕하세요.' 인사한다. 고민이 한꺼번에 해결된 기분이다. 암 말기라고 말할 필요도 없어졌고 방도 비워줬고 남겨둔 사람도 없다. 어디서 어떻게 죽을지 생각할 필요도 없어졌다.

의료진들이 모두 뒤로 물러선다. 모니터는 낮은 선만 그리고 산소호흡기가 떼어진다. 하얀 천이 덮인다. 여전히 지현이 안 보인다.

마음이 편해졌다. 버스가 출발한다.

저승에 오신 것을 환영합니다

<2부> 저승에서 일어난 일

"아, 저는 자살하려고 했어요. 굳게 마음먹고 바닷속으로 걸어 들어 갔거든요? 아, 근데 아무리 들어가도 깊어지지 않는 거예요!! '이거 언제까지 들어가야 하는 거야'하고 힘들고 짜증 나는데, 그때 해파리 떼가 갑자기 나타나서 해파리한테 쏘여서 죽었어요."

"그게 쏘인다고 바로 죽나?"

"무슨 종류인지는 모르겠는데 마비가 오더라고요. 그래서 물에 빠져 죽었죠. 뭐."

"아이고야, 놀랐겠어."

여기저기 모여 앉은 사람들의 만담이 이어지고,

"연아, 미안해⋯ 널 두고 이렇게 먼저 가게 되어서 정말 미안. 너랑 같이 한날한시에 죽자고 약속했었는데⋯. 흑, 저기요, 울다가 콧물이 나와서 그러는데 다시 촬영 가능한가요? 옷이랑 배경도 좀 바꾸고 싶은데요."

「두고 온 사람에게 꿈속 영상 편지 보내기」 코너에서 촬영 장비를 보며 우는 사람

"여기가 저주하고 악몽 꾸게 하는 곳이라면서요? 발 뻗고 자게 두나 봐라!!! 자기가 바람을 피우고 나를 고소해??!!! 아, 그런데, 얼마죠? 제가 돈이⋯."

"죽은 사람 소원은 무료입니다."

「죽어서도 복수는 가능하다」 코너의 친절한 직원

정한

"여기 ㅇㅇ호텔 A 정식 풀코스요!"

"세상 모든 초콜릿케이크요!"

"저는 ㅇㅇ영화 주인공이 □□식당에서 먹은 음식이요!!"

「때깔 좋은 영혼 되기」 코너

"그랜드캐니언에서 번지 점프하기도 가능한가요?"

"호화 유람선 타고 전 세계 일주 코스는 30분 기다려야 한다고요?"

"최애랑 결혼하기 코스는 오늘 자 마감입니다."

VR 체험 기계가 쭉 늘어서 있는 「어머, 이건 꼭 해봐야 해!」 코너

"도대체 이 사람이랑 제가 전생에 무슨 사이였기에 이리도 절 괴롭히나요?!!"

"아니, 사랑이라니까!!!"

"전생이 궁금하신 분들은 이쪽 대기실로 이동해 주시기를 바랍니다."

「우리 대체 무슨 사이」 코너

온통 검은색 장막으로 둘러쳐지고 무지갯빛 조명이 화려한

「모든 판타지가 여기에」 코너 등등….

놀이동산에서 이제 막 날아올라 공중 3회전을 선보이는 레일 없는 열차를 본 사람들이 오오!! 소리를 지르며 우르르 몰려간다. 나는 양탄자를 탄 아이들의 웃음소리가 멀리서 들려온다. 안전끈도 비상 장치도 없다. 아이들이 웃으며 뛰어내린 곳에는 밀크셰이크 풀장이 있다.

버스가 사람들을 내려준 곳은 아주 커다란 박람회장이었다. 입구에

저승에 오신 것을 환영합니다

는 환영을 알리는 불빛이 반짝이고, 안쪽에는 인간이 가질 수 있는 갖가지 종류의 욕구 해소를 위한 코너들이 줄지어 있었다. 영화에서 보면 카지노 같은 데에서 잠깐 놀고먹다 했는데 나와보니 몇십 년 지나있고 그러던데 여기도 혹시 그런 곳은 아니겠지?

"아닙니다."

이승에서 못 풀었던 한 다 풀다 보면 풀코스 밟게 되고 그러다가 여기 영영 갇히는 거 아냐?

"아닙니다."

그런데 저건 또 뭐야? '그때 다른 선택을 했더라면?'

"인생은 선택의 연속이죠. 그때 다른 선택을 했다면 어떻게 되었을지 알 수 있는 곳입니다. 원하는 코너가 없으면 중앙 도움 센터로 가시면 됩니다. 안내 지도도 받으실 수 있죠."

뒤에서 아까부터 들려오던 말이 나를 향한 것이었나? 뒤돌아보니 검은 옷을 입은 남자가 서 있다.

"아…."
"…?"
"안녕하세요."

그는 소리 내어 웃다가 곧 미소 띤 얼굴로 말했다.

"죄송합니다. 인사를 받은 것이 너무 오랜만이라… 기분 상하셨다면 죄송합니다."

"…아니에요."

"여기에 도착하는 영혼들은 대개 무엇을 먼저 할지 고민하거나, 일단 눈에 보이는 곳으로 뛰어가는데 가만히 계시기에 혹시나 원하는 코너가 없는 건가 해서 말을 걸었습니다."

"아… 그렇군요. 저는 다음 목적지로 가는 방법을 찾고 있었어요. 혹시 따로 표를 끊는 곳이 있나요?"

"손님은 여기서 방문하고 싶은 곳이 없으신가요?"

"…."

"원하시면 전체 코너 지도를 드릴 수도 있고, 원하는 코너 신설도 얼마든지 가능합니다."

"…."

"…이건 예외적인 경우이긴 하지만 특별히 선정된 몇 분의 고객에겐 '내가 죽은 후 세상'을 보여드리기도 합니다."

"전…."

"혹시 돌아가고 싶으신가요? 안타깝지만…."

"빨리 끝내고 싶어요."

"네?"

"죽은 걸로 알고 있는데… 저승 가는 버스도 탔는데 여기서 내려주고는 가버렸어요. 빨리 끝내고 싶은데 어디로 가야 '다음'으로 갈 수 있는 건가요?"

"…."

"빨리 이 '죽음'이라는 절차를 끝내고 싶어요."

그는 잠시 내 눈을 들여다보았다. 내 말이 거짓인지 아닌지, 다른 마음이 있는지 알아보려는 것 같았지만 나는 그저 지칠 뿐이다.

"혹시 생전에 우울감을 느낀다거나, 우울증을 진단받으신 적이 있나요? 미련이 없다는 것과 무엇을 할 마음이 들지 않는다는 것은 차이가 있답니다."

"저기, 저승…사자님?"

"우울증을 앓는다는 건 절대 감춰야 할 일도 문제가 될 부분도 아닙니다. 우울증은 하고자 하는 마음의 힘을 빼앗는 것이지 절대 마음 자체는 사라지지 않습니다. 여기서 저와 함께…."

"저는 중증 우울증, 불안장애를 진단받았고, 살아있는 내내 자살 욕구에 시달렸으며, 그것은 잘못된 양육과 제 기질상의 문제라고 상담받았고, 그 결과 우울증약을 장기간 복용했고, 그러다가 갑자기 사고로 죽었는데요."

그는 패드처럼 보이는 기기를 꺼내 들고 내 인적 사항을 검색했다.

"네, 그러시군요. 그런데… 좀 이상하네요. 성함이 '서하윤'이 맞으세요?"

"이름은 맞는데… 왜 그러시죠?"

"잠시 오류가 난 것 같네요."

"뭐가 잘못되었나요?"

"잠시만 기다려 주시겠어요? 확인하고 말씀드릴게요."

점점 심각해지는 남자의 얼굴을 보고 있는데, 삐- 이명 소리와 함께 기다렸다는 듯 환청이 들렸다.

– 네가 하는 게 다 그렇지 뭐!! 제대로 하는 게 없어!

눈앞이 흔들렸다.

"고객님?"

- 넌 평생 혼자 살아. 그게 여러 사람 구제해 주는 길이야.
- 또 울고 있어? 도대체 너 같은 성격을 누가 받아주겠니!!
무릎을 짚고 몸을 숙였다. 비상약이….

"고객님? 전생 연결 지수가 너무 높은데요? 고객님!!"

- 넌 쓸모가 없어!! 누가 너 따위를!! 네가 뭘 할 수 있는데!!!
숨이 점점 거칠어지고 몸이 떨리기 시작했다. 비상약이 어디에 있더
라…. 눈앞이 오래된 필름 돌아가듯 까매졌다 하얘졌다 반복하더니 곧
까매졌고 헉헉거리는 숨소리만 사방을 메웠다.

1. 이상 징후

눈을 번쩍 떴다. 내용이 기억나지 않는 악몽. 하지만 몸이 기억하고
있어서 심장이 무섭게 쿵쾅거리고 좀 전까지 누군가 소리를 지르고 있
었던 것처럼 귀가 쟁쟁한 악몽. 막 물에서 나온 듯 거칠게 숨을 몰아쉬
었다. 여기가 현실이야. 그건 꿈이고, 여기가 진짜야. 내가 있고, 내 아이
가 있고, 내 남편이 있는 여기가 진짜야. 그건 가짜야. 괜찮아. 괜찮아.

그러다 문득 내가 죽었다는 걸 깨달았다. 아… 난 죽었지. 이젠 혼자
네. 보고 싶다. 우리 아이. 내 남편. 유일했던 내 편들. 유일하게 나로 있

저승에 오신 것을 환영합니다

어도 괜찮다고 말해주던 존재들. 어떡해… 보고 싶다. 여기가 진짜라고 알려주던 남편 손도, 내 품으로 파고들던 아이도 더 이상 없다. 눈물이 주룩 흐른다. 왜 안 끝나는 거지. 왜 나는 죽고 나서도 계속 괴로운 걸까. 빨리 다 끝났으면 좋겠는데…. 눈을 감았다. 모두 잊어버리고 다시는 깨어나고 싶지 않았다. 다시 정신이 들었을 때는 빈 병실에 나 혼자 있었다. 한참 그대로 누워 눈만 깜빡이고 있는데 말소리가 들렸다.

"단순 오류가 아닌 것 같다고?"

"네, 이번 달 들어서 벌써 3명이 나왔습니다. 모두 비슷합니다. 오랜 기간 이곳을 방문한 기록이 없고, 이곳에 도착했을 때 구슬의 상태는 이미 금이 가 있었습니다."

"흥미를 보이지 않는 점도 같고?"

"네, 그렇습니다."

"이번에 발견된 의식체 계약서 확인했나?"

"네. 지구와 계약한 지 오백 년이 지났는데, 세 번째 생이 끝난 뒤 이곳을 마지막으로 방문 후 계속 자동 재계약되어 이승에서의 행적만 발견됩니다."

"자동 재계약이 이루어진 의식체에게 어떻게 이런 일이 일어날 수 있지? 어째서 구슬에 금이 갈 때까지 관리망이 작동하지 않은 걸까…."

"지구 의식체 관리 센터에 알리고 조사에 들어가야 할 것 같습니다."

"알겠네. 관리 센터장에게는 내가 바로 연락하지."

달칵, 문이 열렸다. 남자와 눈이 마주쳤다.

"깨어계셨군요."

"무슨 일이에요?"

남자가 곤란한 얼굴을 했다.

"현재 조사 중이라 섣불리 말씀드리기가 어렵네요."
"그냥 말씀해 주세요. 저에게 무슨 일이 생긴 건가요?"
"이야기가 긴데, 괜찮으시겠어요?"
"네."

아주 오래전, 우주가 생기고, 지구가 생길 때, '의식'들이 태어났어요. '의식'들은 우주 에너지의 원천이에요. 의식들이 느끼는 감정이 행성을 움직이게 하거든요. 지구의 경우를 예로 들면, 지구와 계약한 의식들이 사람의 형상으로 삶을 살고, 지구는 그 삶에서 나오는 희로애락, 즉, 감정 에너지로 자전하고, 태양 주위를 공전하고 있다고 보시면 됩니다. 그렇게 지구의 생태계가 유지되는 거죠.

그런데 이때 삶에서 흘러나오는 감정을 연구해 본 결과, 시간이 지날수록 감정의 종류가 점점 한쪽으로 치우친다는 것이 발견됩니다. 행성이 유지되기 위해서는 다양한 에너지가 골고루 필요해요. 그래서 삶과 삶이 이어지는 중간 지점에 '감정의 통로에 쌓여있는 찌꺼기들을 해소하는 센터'를 설치하기로 했어요. 이곳에서 이승에서 쌓인 감정 찌꺼기들을 털어내고 나면 의식들은 자신이 누구였는지 기억하게 되고, 행성과의 재계약 여부를 선택하죠. 이승에서는 이곳을 저승이라고 부르고 심판을 받는 장소로 여긴다던데, 실제로는 '감정 정화 및 재계약 센터'일 뿐입니다.

"행성과의 재계약 여부를 선택한다고요? 하지만 저는…."
"네, 고객님께서는 지구와 처음 계약한 뒤로 3번은 이곳에 들리시고 재계약에 동의하셨지만, 그 뒤로는 이곳에 오신 기록이 없습니다."

"이승에 갇혀있었다는 건가요? 그러면 이번에는 왜 오게 된 거죠?"

"의식체의 행복 지수가 일정 수치를 넘어가면 행성과의 계약은 자동 연장됩니다. 현재 원인을 찾는 중입니다."

"구슬 이야기는 뭔가요?"

"…의식은 본래 구슬의 형상을 하고 있습니다. 그리고, 현재 고객님의 구슬은 금이 가 있는 상태입니다."

"금이요? 그러면 어떻게 되는데요?"

"…금이 심해져 구슬이 깨지면 의식은 소멸합니다. …진짜로 죽게 되죠."

2. 조사 실시

지구 의식체 관리 센터 회의실 전면 커다란 스크린에는 해안가 바위 틈에 끼어있는 구슬 조각이 찍힌 사진이 나와 있었다. 스크린 옆에 서 있던 표본 조사 TF 단장이 말했다.

"이번 이상 징후와 관련하여 현재 지구에 거주하고 있는 의식체를 대상으로 표본 조사를 시행하던 중 조사원이 우연히 발견한 구슬 조각입니다. 이 조각은 약 400년 전 바닷속 수중 화산 폭발 시 마그마를 타고 흘러나온 것으로 추정되며, 연구팀에서 조사한 결과 'A6 행성 최후 거주자의 것'으로 확인되었습니다."

회의실 여기저기서 탄식이 흘러나왔다. 센터장이 입을 열었다.

"확실한 겁니까?"

"조각에 남아있는 기억을 추적한 결과로, 연구팀에서도 여러 차례 재확인을 거쳤습니다. 시기상으로 볼 때, A6 행성 폭발 시 터진 구슬 조각이 지구 생성 때 섞여 들어간 것으로 보입니다."

"지구의 반응은 어떻습니까?"

"현재 지구는 이 사건 개입 여부를 완강히 부정하고 있습니다."

회의실 안 의식체들의 반응은 둘로 나뉘었다. 내용을 이해한 쪽은 하얗게 질려있었고, 알지 못하는 쪽은 어리둥절한 표정이었다. 그것을 본 센터장이 본인의 구슬을 형상화하여 옆에 띄웠다. 구슬 안에서 어두운 색깔이 일렁이다가, 짙은 남색을 띤 기억이 구슬 밖으로 안개처럼 새어나와 스크린 앞에 분홍빛 행성을 만들어 냈다. '행복해'라는 글자의 행렬이 마치 사슬처럼 행성을 칭칭 둘러싸고 있었다. 센터장의 설명이 이어졌다.

"우주 생성 초기에 '블링블링 하트 세이브', 현재는 'A6'라고 불리는 행성이 있었습니다."

분홍빛 행성에 있는 의식체들은 처음에는 밝은 얼굴로 '행복해!'를 외치다가 시간이 갈수록 점점 표정이 사라진 얼굴로 '행복해....'를 중얼거리며 움직였다.

"우주 생성 초기 행성들은 에너지를 얻기 위해 무엇이든 했습니다. 그 중 '블링블링 하트 세이브'가 선택했던 방법은 '광고와 세뇌'였죠. '행복해지는 행성'이라는 광고에 이끌려 계약했던 의식들은 '이곳에 있으면 행복하다.'는 말에 세뇌되어 행성을 떠나지 못하게 되었습니다. 그 결과 의식체들의 삶에서 나오는 에너지의 종류가 극도로 편중되어 결국 행성은 에너지 불균형으로 폭발하고 말았죠."

분홍빛 행성의 폭발에 휩싸여 행성에 있던 의식체들의 구슬이 사방에서 터져나갔다.

"그 사건으로 '의식체의 안전 확보'와 '에너지 다양성 유지'가 큰 이슈로 다루어졌고, 그 결과 모든 행성에 '의식체 관리 센터'와 '의식체 감정 정화 센터' 설치가 의무화되었습니다. 계약서에 '의식체의 삶에 절대 개입 금지' 조항이 들어간 것도 이때부터입니다."

회의실 안 분위기가 경직되었다. 센터장은 깊은 한숨 뒤 말을 이었다.

"현 시각 부로 표본 조사를 전수 조사를 전환하겠습니다."
"지구 의식체 수가 지금 몇인지 아십니까? 전수 조사는…!!"
"모르시겠습니까? 만약 사태의 원인이 A6 행성 사고라면, 이것은 더 이상 지구만의 문제가 아닙니다."

반박하려던 의식체는 입을 다물었다. 모두의 시선이 스크린 속 의식 조각을 향했다.

3. 원인 규명

밤하늘을 연상케 하는 공간에 많은 수의 구슬이 모여 있었다. 구슬은 여러 가지 색깔로 바뀌며 공처럼 튀기도 하고, 바르르 떨리기도 했다. 구슬 안에서 목소리가 흘러나왔다.

"지금 그게 말이 된다고 생각합니까!!! 의식체가 정화 공간으로 돌아오지 못하다니요!! 심지어 계약 초기에는 멀쩡하던 구슬에 금이 가다니!! 도대체 지구에서는 의식체 관리를 어떻게 하는 겁니까!!!"

"점점 지구에 머무는 의식체의 수가 늘어나고 있다고 들었습니다. 혹시 의식이 떠나지 못하도록 지구가 뭔가를 하는 것 아닙니까?"

"그래도 이번에 구슬이 정화 공간으로 돌아온 것을 보면 무조건 지구 탓을 할 문제는 아니지 않을까요? '의식체 관리 센터'의 관리망에 문제가 생겼을 수도 있지요."

"구슬에 금이 갔는데, 그것도 돌아온 거라고 할 수 있을까요? 역할을 못 하게 될 것 같으니까 슬그머니 제자리에 돌려놓은 것은 아니고요?"

"다들 흥분하셨습니다. 일단, 지구 의식체 관리 센터에서 조사한 내용부터 들어봅시다."

우주 의식 연합 의장 구슬의 말에 공간이 조용해졌다. 여기 모인 구슬들은 모두 각 은하계의 대표로, 이번 지구 사태로 인한 비상 회의를 위해 모였다. 한 구슬이 빛을 쏘아 보내자, 모든 구슬 앞에 동일한 영상이 떴다. 영상 안의 남자가 입을 열었다.

"지구 의식체 관리 센터장입니다. 최근 지구에서는 의식체들이 구슬에 금이 간 상태로 감정 정화 센터에 도착하는 일이 발생했습니다. 이유를 밝히기 위해 의식체 전수 조사를 시행한 결과, 감정 정화 센터를 거치지 못하고 장기간 이승에 묶여있는 의식체들이 다수 발견되었습니다. 그 수는 지구와 계약한 전체의식 수의 10%로, 상태는 대부분 구슬이 약해져 있거나 금이 가기 직전이며, 유감스럽게도 그중 3%는 깨어진 구슬 잔해만 수습할 수 있었습니다."

침음이 사방에서 나왔다. 센터장이 말을 이었다.

"관리 센터에서는 이 사태의 원인으로 초기 행성 'A6'의 사고를 지목하고 있습니다. 조사 중 오래된 구슬 조각이 발견되었는데, 추적 결과 'A6 행성의 최후 거주자'였음이 확인되었습니다."
"A6 행성 사고 때 터진 구슬 조각이 지구에서 발견되었다는 말인가?"

연합 의장 구슬이 놀라움을 금치 못한 목소리로 물었다.

"구슬 조각이 지구 생성 때 섞여 들어간 것으로 추측하고 있습니다. 지구 내부에 머무르던 구슬 조각이 화산 폭발로 인해 지구 표면에 노출된 때와, 지구에 이상 현상이 발생한 시점이 정황상 이어집니다."
"깨어진 조각에 남은 사념이 그토록 강한가? 지구 의식체에 영향을 끼칠 정도로?"
"통상적으로 구슬에 남은 감정의 흔적을 볼 때, 긍정적인 감정보다는 부정적인 감정의 흔적이 더 오래가고, 그 중 '세뇌'는 의식체들을 A6 행성에 붙잡아 둘 정도로 강력했습니다. 발견된 구슬 조각에 남은 흔적은 대부분 감정을 이용당한 내용으로, 이번 사태로 피해를 본 지구 의식체들이 겪고 있는 증상과 유사합니다."
"이 사태에 지구가 개입했을 가능성은?"
"생성 시기부터 구슬 조각이 있었다면 지구 역시 피해를 본 입장으로 봐야 할 것 같습니다."
시간이 지날수록 구슬들의 동요는 점점 커졌다. 은하계의 대표직을

맡을 정도로 연륜이 깊은 구슬들은 모두 A6 행성 사고에 대해 알고 있었다. 많은 의식이 희생당한 그 사고는 입에 담는 것조차 금기시되고 있었다. 잠시 후, 연합 의장 구슬이 말했다.

"이제 이 사건은 더 이상 지구만의 문제가 아닙니다. A6 행성이 관련되어 있다는 것이 확인된 이상, 이 문제는 우주 차원에서 다루어져야 합니다. A6 행성 사고 당시 일정 거리 내에 있었던 모든 행성과, 비슷한 시기에 생성된 행성 모두 조사 대상이 될 것입니다. A6 행성 관련 감정 흔적은 기본적으로 세뇌의 모습을 하고 있으나, 분노, 가스라이팅 등 어떤 모습으로도 표출될 수 있습니다. 그것들은 의식체의 삶에 개입하고 조정하려는 성질을 지녔으므로 향후 바이러스로 간주하여 처리하겠습니다. 이 바이러스의 이름은 'A6 바이러스'입니다."

모든 구슬이 마치 얼음이 된 듯 움직이지도, 말하지도 않았다. 하지만 구슬 안 알갱이들은 거칠게 요동치고 있었다.

"명심하세요. 우주를 움직이게 하는 것은 의식들이 느끼는 감정이지만, 그것이 우주를 멈추게 할 수도 있습니다."

4. 사후 조치

하윤은 자신의 구슬을 살펴봤다. 농구공만 한 크기의 구슬 가운데에 제법 큰 금이 가 있고, 작은 실금들도 여기저기 보였다. 공중에 떠 있는 구슬을 돌려보기도 하고 톡톡 두드려 보기도 했다. 마치 스노우 볼처럼 구슬 안에서 여러 가지 색 모래 같은 것들이 일렁였다. 까만색이 대부분

저승에 오신 것을 환영합니다

이었지만 노란색, 연두색도 조금 보였다.

"그렇게 만져도 괜찮은 거예요?"

옆에 있던 지현이 하윤에게 물었다. 두 사람은 하얀 공간에 나란히 앉아 있었다. 한쪽에 난 문에서 사람들이 끊임없이 들어왔다. 지현은 사방에 자잘한 금이 나 있는 자신의 구슬을 차마 만지지 못하고 보고만 있었다. 지현이 입을 열었다.

"왜 그렇게 진심이었을까요?"
"뭐가요?"
"우리 말이에요. 에너지가 필요한 건 우주인데, 아무리 계약 상태라고 해도 그 속에 뛰어든 우리는 왜 그렇게 몰입해서 치열하게 살아낸 걸까요?"
"…그렇게 만들어진 에너지가 진짜라서?"
"…그쪽은 어때요? 계약한 행성에 바이러스가 퍼지는 바람에 구슬에 금이 갈 때까지 이렇게 갇혀있었던 거요."
"음… 재수가 없다?"
"풋. 그게 그렇게 쉽게 정리가 돼요?"
"그렇게라도 하지 않으면 내가 너무 가엾잖아요. 7번의 삶을 죽지도 못하고 매번 처음으로 돌아가 같은 사람들에게 똑같이 시달리며 살았다는데…. 마지막 생의 첫 기억이 '죽고 싶다'였던 게 이제야 좀 이해가 가요. 구슬이 깨지지 않았다는 게 신기할 정도니까. 금이 갈 새도 없이 터져버려 구슬 파편만 발견된 의식체들은 어떤 일을 겪었을지 상상도 안돼요."
지현은 구슬 표면에 살며시 손을 댔다. 파삭 소리가 나며 가루가 떨어졌다.

"…우주는 왜 돌아가는 걸까요? 누구를 위해서?"

하윤은 구슬을 뒤집어 다시 차곡차곡 쌓이는 알갱이들을 보며 건조한 목소리로 대답했다.

"…비틀어 짜내서라도 흘러나오는 이야기를 좋아하는 그 누군가?"

*

지구에서 발견된 A6 바이러스의 특징은 '가스라이팅'이었다. 가스라이팅 특성상 이번 바이러스 사태에 휘말린 의식체들은 크게 두 분류로 나누어졌다.

첫 번째는 '바이러스에 감염된 의식체'로, 이들은 상대방을 마음대로 조정하려는 마음을 갖게 되었다. 그리고 거기서 비롯된 행동이 상대방을 위한 자신의 배려, 희생이라는 자기만족 상태에 빠졌다. 이 의식체들은 감정 정화 센터에서 바이러스 제거 작업을 받을 수 있었다.

두 번째는, 감염된 의식체에 '조정당한 의식체'였다. 장기간 거듭된 세뇌로 자신을 부정당하고, 감사하다는 마음을 가지도록 반복 학습 당한 이 의식체들의 구슬은 이미 많이 약해졌고, 점점 금이 가기 시작했다. 이승에서 이미 구슬에 금이 가서, 의식체 관리 센터 관리망을 통해 감정 센터로 강제 이송된 의식체들의 경우는 그 정도가 더 심했다. 지현

저승에 오신 것을 환영합니다

과 하윤의 경우가 그러했다.

가장 큰 문제는, 두 분류의 의식체들 모두 마음을 조정당해 행복 지수가 일정 수치를 넘기는 바람에 지구와 계속해서 자동 재계약되었다는 점이다. '감정 정화 센터'를 거치지 못하고, 이승에 갇혀 같은 삶을 반복한 것이 상황을 최악으로 몰았다. 앞으로 자동 재계약은 전면 금지되었지만, 지금 당장 구슬의 상태를 되돌릴 방법은 없었다.

'조정당한 의식체'들에게 내려진 처방은 최대한 안정된 상태에서, 쌓인 감정을 해소해 구슬에 금이 가는 속도를 늦추는 것이었다. 이 의식체들은 감정 정화 센터에서 스스로 무언가를 할 욕구가 없었기에, 대체 방안으로 나온 것이 '꿈을 통한 감정 해소'였다.

이들은 앞으로 꾸게 될 꿈속에서 원하는 것을 하게 될 터였다. 깊은 휴식이 필요하다면 죽음과 같은 잠을, 줄곧 갈망해 오던 것이 있다면 그것을 이루어 내는 꿈을, 원한다면 자신들을 괴롭히고 억압했던 존재들에게 대항하고, 소리 지르고 싸우는 꿈을 통해 그동안 눌러왔던 감정들을 쏟아내고 흘려보내게 될 것이다. 그렇게 번 시간 동안 구슬의 상태를 회복시킬 방법을 찾을 계획이지만, 그 과정과 시간 속에서 얼마나 많은 구슬이 깨지지 않고 버텨낼지는 아무도 모른다.

*

모든 '조정당한 의식체'가 들어오자 커다란 하얀 공간이 사라지고, 각각의 의식체 앞에 공간이 생겨났다. 공간은 의식체가 원하는 곳으로 바뀌었다. 숲속으로, 다락방으로, 침실로…. 가장 그리워하던 곳이 되기도 하고, 상상으로만 바라 온 곳으로 변하기도 했다. 커다란 인형의 배위에 올라간 의식체, 눈보라 속에 세워진 텐트 안에서 부스럭거리며 이불을 정리하는 의식체, 모닥불을 피워놓고 침낭에 들어가 있는 의식체, 커다란 새 둥지 모양의 침대에 들어가 알처럼 몸을 웅크리고 누운 의식체, 나무 사이에 걸린 해먹에 누워 따스한 햇살 아래 천천히 흔들리고 있는 의식체, 털이 복슬복슬한 개와 함께 풀밭에서 뒹굴고 있는 의식체, 절벽에서 비바크를 준비하는 의식체, 커다란 나뭇잎을 잔뜩 들고 동굴에 들어간 의식체, 쿠션을 가득 쌓아 놓고 그 중간쯤을 파고 들어가 모습이 보이지 않는 의식체, 그리고 막 수영을 마치고 바닷가에서 수건을 덮은 채 지친 몸을 엄마에게 안긴 의식체까지…. 모두가 천천히 잘 준비를 마쳤다.

달칵. 저마다의 조명이 켜졌다. 햇살 아래 해먹에 누워있던 의식체의 눈 위로 읽던 책이 덮이고, 솜털 같은 눈밭에 누워있던 의식체는 까만 하늘에서 내려오는 하얀 눈송이를 보며 눈을 감았다. 나무 위 작은 오두막 안 양탄자에 몸을 누인 의식체 위로 잎사귀 사이로 비친 햇살이 내려 앉았다. 모든 의식체의 곁에는 각자의 구슬과 자명종이 떠올랐다. 시간이 지나고 자명종이 울릴 때까지 몇 개의 의식이 다시 돌아올 수 있을지 알 수 없었다. 밤하늘 가운데 움직이는 은하수를 보던 하윤도, 몸을 웅크리고 침대 속을 파고든 지현도 곧 눈을 감았다.

저승에 오신 것을 환영합니다

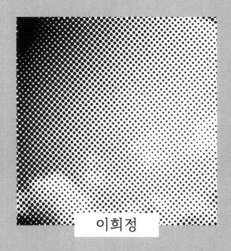

이희정

으른을 아십니까

평균: 여러 수나 같은 종류의 양의 중간값을 갖는 수

1. 누군가에게는 선생님, 누군가에게는 강사라 불리는 동안 나는 그 단어의 뜻을, 그 안에 담긴 의미를 제대로 곱씹어 본 적이 없다. 사실 내가 그 단어에 걸맞은 사람이 될 자신이 없었을지도. 그런데 TV를 보다가 정승제 선생님의 이야기가 그 의미를 되새겨보게 했다.

2. 일타강사로 유명한 정승제 수학선생님은 학생들에게 "생선님"으로 불린다. 동료 강사가 어려운 환경에 있는 학생의 수학여행비를 몰래 내주고는 그 학생이 알게 될까 봐 걱정하는 모습을 보았는데, 그때부터 '진짜 선생님'에 대해 진지한 고민을 했다고 한다. 자신은 진짜 선생님이라고 하기에 자격이 부족한 것 같다며 아직까지 학생들에게 선생님 대신 '생선님'으로 부르길 권한다는데…… 이런 고민을 하는 자체가 진정한 선생님이 아닐까? (실제로 EBS에서 받는 강의료는 전액 기부하며, 장학재단도 운영하고 계신다.) 내가 학교에 다니던 시절 정승제 선생님을 만났다면 수포자가 되지 않았으려나? 재밌는 생각도 스쳤다. 좋아하는 선생님이 생기면 그 과목을 잘하고 싶어지니까. 내 오랜 기억을 더듬어 보니 선생님 대신 다른 단어로 자신을 부르길 바라는 분이 계셨다. 그분은 "선장님"으로 불리길 원하셨다. 한배에 탄 선원들을 책임지고, 방향을 제시하는 선장님! 내가 중학생 때의 일이었는데 그게 그렇게 멋있어 보일 수가 없었다. 그때는 사뭇 특이하고, 누가 봐도 특별한 것을 좋아하지 않는가! 아마 그분도 선생님이라는 단어의 뜻과 무게를 남다르게 지고 있는 분이 아니셨을까 싶다. 실제 생각은 그렇게 할지 몰라도, 자신을 부르는 호칭까지 바꾸어 제안하는 분은 흔치 않으니까. 말의 힘은 생각보

다 강하기 때문에 호칭을 바꾼다는 것은 상징적인 의미가 있다.

3. 아, 내가 좋은 선생님이 되고 싶어서 이 글을 쓰는 거냐고요? 그렇지 않습니다. 나는 좋은 선생님, 좋은 사람이 되고 싶다는 욕심은 내려놓았다. 말 그대로 욕심이니까. 대신 스스로에게 이 정도면 괜찮은 사람이라고 말해줄 수 있는 사람이 되고 싶다. 그러려면 나를 제대로 알고, 온전히 내가 되는 과정을 겪어야 하겠구나.

4. 최근 라디오에서 만난 문장이 있다. "우리는 가장 많은 시간을 함께 보내는 다섯 사람의 평균이다." (미국의 사업가이자 동기부여 강연자 Jim rohn). 우리는 누군가의 삶에 영향을 미치기도 하고, 영향을 받고 있기도 하다. 내 주위의 다섯 명은 누가 자리하고 있는가 손가락을 꼽아 보았다. 그러다 문득 '내가 되는 여정'에 나의 평균이 중요하겠구나. [평균=중간] 묘하게 마음이 편해지는 단어다. 이러나저러나 중간만 가도 괜찮은 거 아닐까? 기준은 잘 모르겠지만. 그럼, 나의 평균을 높여줄 ○○을 찾아서.

섣부른 위로를 하지 않는 어른

1. 대학원 상담학 수업은 언제나 설레는 시간이었다. 그 시간에 했던 과제 중 하나는 내 안에 불편한 관계를 마주하는 것이었다. 그 관계 안에서 느꼈던 나의 마음과 감정을 살피는 작업이었는데 처음 이 과제를 접했을 때는 피하고만 싶었다. 불편한 관계 안에서 힘들어하는 내 모습을 직시하고 싶지 않았고, 왜 굳이 분석하여 상처를 파고들어야 하는지 괴롭기만 했다. 그동안 나는 관계에 있어 과거를 되돌아보기보다는 미래를 바라보는 사람이었기 때문이다. 아니, 다 변명이다. 과제를 듣자마자 누군가 떠올라서 생각만으로도 불편했기 때문이다. 한 조직의 리더이자 내 인생에 너무 많은 역할을 부여한 사람. 회피하는 어른들.

2. 사실 과제를 할 때까지만 해도 나는 괴롭지 않았다. 그런데 교수님께서 "선생님들 과제 제출한 거 다 읽어봤는데 너무 속상했어요. 얼마나 힘들었을까? 관계 안에서 자신을 바라보는 일이 생각보다 힘들죠? 내가 했던 행동의 동기가 상대를 위한 것인지, 나를 위한 것이었는지 분간하기도 힘들고요." 고개를 끄덕이는 사람들 사이에서 나는 고개를 떨구어 버렸다. 벽 사이로 졸졸 흘러나오던 물이 벽을 부수고 콸콸 쏟아졌다. 눈물과 함께 나도 모르던 내 마음이 터져 나오고 말았다. 어른들에게 많은 기대를 하고 있었고, 그 기대가 지속해서 무너지자 더 이상 관계 개선을 위해 아무 노력도 하지 않는 나를 발견했다. 관계 안에서 하나의 세계가 무너진 것이다. 주르륵 눈물을 흘리는 나에게 사람들은 휴지를 건네주었다. 수업이 끝난 후 교수님은 나를 따로 부르셨다. "선생님, 내가 안아줘도 될까요?" 나는 어린아이처럼 교수님께 안겼다. 그 어떤 말

으른을 아십니까

보다 진정한 위로였다. 실체가 느껴지지 않던 어른이 손으로 만져진 순간이었다. 내 마음의 리트머스지에 실험 용액을 아무리 뿌려도 나타나지 않던 색이 이제야 색을 나타냈다. 파란색도 아닌 빨간색도 아닌 보라색.

3. 이어진 다음 수업은 '트라우마'였다. 교수님께서 자신의 트라우마를 나눠줄 수 있는 사람이 있냐고 물으셨다. 한 분이 용기 내 손을 들었다. 초등학교 시절 집안 사정으로 인해 잠시 어머니와 떨어져 살게 되었는데, 그 당시 담임선생님이 "네가 이렇게 말을 안 들으니, 엄마가 집을 나가지."라는 망언을 했다고 한다. 어린아이의 마음이 얼마나 아프고 쓰렸을지 짐작도 가지 않는다. 세상에는 어른답지 않은 어른이 정말 많다. 그 말을 들은 교수님께서 "제가 사과하고 싶어요. 미안합니다." 하며 그분의 손을 꼭 잡아주셨다. 자신이 하지 않은 일임에도 불구하고 교수님은 사과하셨다. 나는 그날의 장면이 선명하게 각인되었다. 교수님의 미간에 담긴 깊은 침통함, 눈 안에 가득 담긴 슬픔과 미안함. 어른은, 어른으로서의 부끄러움을 알며 회피하지 않는구나. 누군가에게 위로해야 할 순간, 나는 교수님의 얼굴을 먼저 떠올릴 것이다. 섣부른 위로를 하지 않는 어른의 얼굴.

4. 그 후 내 마음의 옅은 안개가 걷히자, 보지 못했던 것들이 하나둘 보이기 시작했다. (내가 보고 싶은 대로 보고, 생각하고 싶은 대로 생각한 것은 아닌지. 나의 기준이 절대적 정답이 아닌데 왜 나는 제대로 부딪혀 보지도 않고 마음의 문을 닫아 버린 것인지……)

그 후 영화처럼 모든 게 해결되지는 않았다. 앞으로도 해결은 없을지도 모른다. 하지만 나에게 직면하는 문제들을 손에 잘 쥐고 면면히 살펴볼 계획이다(바람대로 잘 될지는 모르겠으나). 신은 우리에게 한쪽 문을 닫으면 다른 쪽 문을 열어준다고 하지 않았던가. 내려놓으면 더 많은 것을 얻게 된다는 말도 있고. 흔한 말이지만 내가 겪고 나니 이마를 탁, 칠 수밖에 없었다. 회피하는 어른들에게 상처받은 나는, 섣부른 위로를 하지 않는 어른에게 정확한 위로를 받았다.

회피하는 어른

회피:
1)몸을 숨기고 만나지 아니함.
2)꾀를 부려 마땅히 져야 할 책임을 지지 아니함.
3)일하기를 꺼리어 선뜻 나서지 않음.

1. 회피는 단어의 뜻에도 나와 있듯 교묘하게 발을 하나 빼고 있는 모양새다. 두 발을 단단히 딛고 서 있는 것이 아니라 언제라도 도망갈 수 있고, 숨을 수 있는 여지를 남겨둔 단어이다. 나는 회피하는 어른에게 상처받은 적이 있다. 그분(들)은 책임감이 없었고, 자신의 이익만을 최우선 순위에 두었으며, 흔히 말하는 큰 그릇이 아니었다.

으른을 아십니까

2. 품어주는 사람, 큰 그릇, 좋은 사람. 내가 만든 어른의 키워드이다. 모름지기 어른은 내가 뭣 모르는 소리를 해도 허허허 하며 웃어주고, 머리를 쓱 넘겨줄 것 같다. 내가 투정을 부려도 타격감 없이 "녀석"이라고 말해줄 것 같다. 하지만 이 모든 건 내가 만든 이상에 불과하다. 대상을 이상화하는 것은 그만큼 상대에 대한 실망과 분노도 커질 수 있는 길이다. 있는 그대로에 나를 바라보는 것도 힘든 일인데, 타인을 있는 그대로 바라본다는 것은 얼마나 어려운 일인가. 그 어려운 일을 바로 하기가 힘들어, 나는 정성스럽게 어른을 이상화한 것이다. 신화 속에 존재하는 영웅처럼 말이다. 그리고 내 옆에 어른으로 존재해 주길 원하는 이들에게 그 이상향을 씌워버렸다. 결과는 어땠을까?

3. 대상을 이상화하는 것을 그만두었다. (당연히 100%는 아니다. 나는 여전히 선입견과 편견에서 벗어나지 못하는 보통의 사람이니까). 정확히 말하면 '완벽한 어른은 없다.'라는 결론을 내렸다. 계기가 있었는데, 산울림 밴드의 보컬이자 연기자인 김창완 아저씨가 어른에 관해 쓴 글 때문이었다. "아이들이 다 천진하고 사랑스럽기만 하다는 데 동의하지 않습니다. 마찬가지로 어른들이 다 지혜롭고 심지가 굳다고 여기지도 않습니다. 흔들리는 어른의 모습도 자연스럽다고 생각합니다. 준비된 어른이 되기보다는 늘 새로운 어른이길 바랍니다." 아! 완벽이라는 단어를 어른에 꿰맞춘 자체가 나의 큰 오류였다. 나는 영웅처럼 이상화시킨 어른을 마음속에서 내몰았다.

나의 아저씨

1. 나는 김창완 아저씨가 ('아저씨'는 라디오 청취자들이 김창완 선생님을 부르는 애칭이다.) 진행하는 라디오 "아름다운 이 아침 김창완입니다."의 애청자였다. 7년 정도 듣다 보니 일과가 되었다. 처음부터 끝까지 듣지 못하더라도 꼭 들으려 노력했는데, 아저씨 목소리를 듣지 않으면 아침이 아침답지 않았기 때문이었다. 아저씨는 수식어가 참 많다. 괴짜, 천재, 악역 전문 배우, 싱어송라이터, 화가, 작가 등등. 한 사람에게 붙는 수식어가 이렇게 다양할 수 있을까? 정작 아저씨는 본인 행보의 파격성을 잘 모르며, 대단하다 생각하지 않는다. 그저 자신의 길을 걸어왔을 뿐이라고. 그래서 더 멋있는 건 왜일까?

2. 라디오 DJ의 덕목은 다양할 것이다. 노래 선곡 능력, 사연을 맛깔나게 살리는 능력, 광고 시간에 잘 맞춰 진행하는 능력, 출연자와 호흡하는 능력 등. 그렇다면 나는 아저씨의 어떤 점에 스며들게 된 것일까? 아저씨의 목소리는 사근사근하지는 않지만, 호흡을 느긋하게 만들기에 충분한 편안함이 있다. 또 아저씨의 말에는 노래처럼 리듬감이 있는데 그래서 라디오를 듣는 동안 마음이 울렁울렁 너울졌다. 아저씨가 만든 너울은 나를 편안하게 만들어 주고 뾰족뾰족한 마음을 '너무 애쓰지 마'라고 동글동글 다듬어 주었다. 단순히 라디오를 듣는 것이 아니라 마음 수련을 할 수 있게 도와주는 아저씨에게 나는 스며든 것이다. 그리고 아저씨만의 예측할 수 없는 템포가 있다. 예측되지 않는 템포는 불안하기도 하지만 재미와 의외성을 선사하기도 한다. 슬프고 아린 사연을 소개한 후, 긴 정적이 흐르고 아무 말 없이 기타 연주로 위로를 건네기도 하

셨고, 아저씨가 출연자에게 엉뚱한 질문을 하면 출연자는 웃음꽃이 피면서 긴장을 풀었다. 이런 개구쟁이 같은 아저씨의 모습에 청취자들은 "아저씨 정말 못 말려요!" 실시간 댓글을 달았다. 젊은 세대의 뮤지션들이 나오면 아저씨는 음악적으로 새로운 시도를 배우시기도 했고, 색다른 제안을 하시기도 했다. 고정 코너인 짱구, 짱아(어린이들)의 사연을 읽으실 때면 순수함에 전염되어 행복해하셨다. 아저씨의 라디오는 어여쁜 것을 어여쁘게 바라보는 마음이 얼마나 귀한 것인지를 배우는 시간이었다.

3. 아저씨는 자신의 책[찌그러져도 동그라미입니다.]에서 "TV는 마주 보고 앉지만, 라디오는 굳이 그럴 필요가 없어요. 저한테는 뒷모습을 보이셔도 상관없어요. 외로운 모습을 숨기지 않으셔도 된다고요." 아이와 강아지는 자신이 믿는 사람에게 등을 보인다고 한다. 아저씨는 우리에게 안전한 관계이니 등을 보여도 괜찮다고 말한다. 상대의 뒷모습을 바라봐 준다는 건 어떤 의미일까? 뒷모습은 '내가 볼 수 없는 나'이다. 또 '내가 숨길 수 없는 나'이다. 그 모습도 아무 저항 없이 봐주겠다는 아저씨에게서 어른의 모습을 본다. 한 신문사 인터뷰에서 기자가 질문했다.

"매 순간 행복하지 않더라도, 단단하게 살고 싶은데 어떻게 하면 좋을까요?"

"단단해지려면 부드러워지세요. 생각은 날카롭고 냉정해도 되거든요. 근데 마음은 달라요. 포용할 수 있어야 해요. 밤송이 같은 생각을 진흙 같은 마음에 품는다고 봐도 좋겠네요. 품어주는 것만큼 단단한 사람은 없는 거 같아요."

역시! 뒷모습을 봐주는 이는 포용의 참 의미를 알고 계셨다.

4. 조금이라도 나이를 더 먹은 사람은 뒤따라오는 이에게 먼저 가본 길을 알려 주고 싶기 마련이다. 지름길을 알려 주고 싶기도 하고, 방해물을 예고해 주고 싶은 법이다. 굳이 가지 않아도 되는 길을 가려는 이는 붙잡고 싶은 법이다. 그게 그 사람을 위한 길이라고 생각하니까. 하지만 온전히 겪어야 할 경험을 다 하고 나야, 그의 길이 생기는 법이다. 아저씨는 백 가지를 가르쳐 주는 어른보다는 한 가지를 참아주는 어른이 좋다고 말한다. 권위를 갑옷으로 입는 어른이 되지 말자고. 그러려면 자신의 허물이나 나약함도 다 드러낼 수 있어야 한다고 말이다. 각자의 길은 각자가 만들어 가는 것이다. 하지만 우리는 옆길로 가라는 어른을 만나기도 하고, 틀린 길을 텄다며 흔드는 어른을 만나기도 한다.

이 글을 쓰며 고개 숙이는 이유는 내가 훈수 두는 어른이자 선생이기 때문이다. 아는 길이라고 잘난 체를 한 것이다. 정말 아는 길일까? 10명의 사람이 있다면, 10명의 길이 모두 다른데 아는 체를 한 내가 지독하게 부끄럽다. 품어주는 어른을 이상형으로 정해놓고, 정작 나의 그릇은 돌아보지 못했다. 아이고, 쓰다 보니 반성문이 되었다.

어른도 어른이 필요하다.

1. 할아버지가 세상과 이별하시고, 할머니의 치매 증상이 갑자기 악화되었다. 병원에서는 약을 잘 챙겨 먹었다면 진행이 더디게 되었을 것이라고 했다. '~ 했다면' 희망 고문 같은 말이다. 그렇게 할머니는 자식들이 있는 인천으로 오게 되셨다. 큰아들의 집, 셋째딸의 집, 넷째 딸의 집, 그리고 이모할머니 댁으로 옮겨가며 지내셨다. 그러던 중 허리에 이상이 생겨 수술을 받으시고, 거동이 어려워져 요양원에 가게 되셨다. 엄마는 매일 요양원으로 할머니를 뵈러 갔다. 뵙고 오는 길에는 늘 눈이 퉁퉁 부어 있었다. 한 달 내내 엄마의 눈은 가라앉지 않았다. 막내딸이었던 엄마는 할머니의 사랑을 듬뿍 받으며 자랐다. 본인이 받은 사랑을 다 갚기도 전에 할머니가 요양원에 들어가시는 게 몹시 마음이 아팠던 것 같다.

2. 엄마는 소녀 감성의 소유자인데, 소녀에게 이 현실은 너무 가혹했다. 엄마는 이모들과 연락을 주고받다가도 울고, 산책하다가도 울고, 식사하다가도 울었다. 눈물이 주르륵 흐르기도 했고, 엉엉 울기도 했고, 가슴을 치며 울기도 했다. 내가 해줄 수 있는 게 아무것도 없었다. 엄마의 눈물이 그치길 기다릴 뿐. 엄마가 한번은 이런 말을 하기도 했다. "너는 엄마랑 같이 있어서 좋겠다." 엄마의 마음을 어떻게 헤아릴 수 있을까? 그 마음을 헤아릴 수 있을 때가 오지 않았으면……. 평생 삶에 충실했던 엄마는 일찍이 어른이 되었지만, 엄마가 없는 삶은 아직 상상해 본 적이 없는 어린아이 같았다. 어른도 어른이 필요하다. 부모님과의 이별은 어른을 다른 세계로 떠밀어 보낸다. 더 큰 어른이 되어야 하는 세계로. 감

당해 볼 엄두가 나지 않는 세계로. 세상에 대비한다고 해서 대비되는 것이 얼마나 많을까?

3. 부모님이 더 이상 슈퍼맨처럼 느껴지지 않고, 나에게 의지하는 것들이 생기기 시작할 때. 우리는 서서히 부모님의 보호자가 될 준비를 해야 한다. 공자께서 30살은 이립(而立)의 시기로 몸도 마음도 확고히 서야 한다고 하셨는데 아직 온전히 이립 하지 못한 내가, 나를 키워낸 부모님의 보호자가 된다는 것은 단순한 시간의 흐름에 떠밀려서 되는 것이리라. 내 성장의 속도가 부모님의 시간과 어쩐지 맞지 않는다는 생각이 든다. 나도 부모님이 늙어간다는 것은 상상해 보지 못한 어린아이다.

4. 학부모 참관 수업이 있는 날이면 엄마는 늘 돋보였다. 모든 자식이 우리 엄마가 최고라고 생각하겠지만 우리 엄마는 정말 눈에 띄었다. 큰 키에 짧게 자른 머리카락, 남다른 패션 감각. 나를 일찍 낳은 엄마는 다른 엄마들보다 젊고 더 예뻤다. 어린 시절 조숙한 외모를 자랑했던 나는 (초등학생 때 고등학생이냐는 질문을 종종 받았다) 엄마와 밖에 나가면 모녀지간보다는 이모와 조카로 보인다는 얘기를 들었다. 그래서였을까 나는 엄마도 나이가 든다는 것에 너무 무감각했다.

엄마의 갱년기로 속상해하는 친구들의 얘기가 더 이상 남의 이야기가 아니었다. 친구들은 갱년기를 맞은 엄마가 예전과는 조금 다르게 느껴진다고 했다. 살림을 다 내려놓은 엄마도 계셨고, 혼자서 몇 달간 훌쩍 여행을 떠나는 엄마도 계셨다. 그중 가장 속상했던 이야기는 엄마가 딸을, 같은 여자로서 부러워한다는 것이었다. 와닿지 않았다. 엄마가 딸을? 어째서? 그런데 나의 소녀에게도 그 시기가 찾아왔다. 내가 예쁜 옷을 입고 멋을 부렸을 때 가끔 엄마의 눈은 깊고 흐려지면서 "너무 예쁘

네~"라고 말했다. 예전과는 다른 호흡으로 말하는 엄마의 목소리가 들렸다. 엄마는 자신을 쏙 빼닮은 젊은 여자가 막 피어나는 것을 보며, 자신은 지는 꽃이라고 생각하는 것 같았다. 언젠가 엄마의 생신 케이크에 이런 문구를 적은 적이 있다. [누구보다 빛났을 엄마의 청춘에, 우리라는 꽃을 피워줘서 고마워요.] "엄마"라는 땅에서 우리는 꽃을 피우기도 했고 열매를 맺기도 했다. 그리고 언제든 쉬어가기도 했다. 엄마는 지는 꽃이 아니라 어떤 작물도 흡족하게 키워낼 수 있는 비옥한 땅이다. 그러니 어머니! 당신은 너무나 위대해요. 앞으로도 계속 그 땅에서 뒹굴어도 될까요?

5. 부모님들은 인생에서 처음 푸는 문제를 풀어야 할 때, 겪지 못한 감정을 느끼게 됐을 때, 위기가 찾아올 때 누구에게 기대는 것일까? 혼자서 꿋꿋하게 어른의 무게를 감당하는 것일까? 나에게 삶의 지혜와 헤쳐 나갈 길을 알려 준 부모님에게는 누가 그것을 알려 주는 것일까. 가족들과 칼국수를 배불리 먹고 노을을 보며 집으로 돌아오는 길, 요즘 할 일이 너무 많은데 시간이 빨리 간다고 투정을 부렸다. 아버지는 요즘 눈을 감았다 뜨면 시간이 훅 흘러 있다고 답했다.

"그런 말 있던데? 30대엔 30km로 가고, 40대엔 40km로 가고"
"그렇지. 점점 빨라지지."
"그럼, 아빠는 지금 60km야?"
"그렇지. 생각도 변하는 것 같아. 50대까지만 해도 '뭘 더 해볼까?' 생각했다면 60대인 지금은 인생의 나머지에 대해 생각하게 되는 거야. 내가 늙는 거지."

나는 아침에 눈을 뜨면 시작을 생각하는데, 아버지는 끝을 생각하는

구나. 나는 아직 더 오랜 시간이 우리에게 주어졌다고 생각하는데, 부모님은 다른 생각을 하는구나. 같은 속도로 시간을 보내고 있지 않다고 생각하니 마음이 조급하고 지난날의 잘못들이 떠올랐다. 흔히 남녀 간의 사랑에서 "사랑은 타이밍"이라는 말을 자주 사용하는데 부모님과 자식 간의 사랑(효도)도 타이밍이다.

어른이 되는 길

Ⅰ. 보호자 되시나요?

　1. 시한부 선고를 받은 여자는 주위 사람들에게 병을 숨긴 채 지낸다. 그녀를 짝사랑하는 남자가 이 사실을 우연히 알게 되고 담당 의사에게 찾아가 자세히 설명해달라고 말한다. 의사는 보호자도 아닌 당신에게 설명할 수 없다고 대답한다. 그 순간! 그는 그녀의 보호자가 되기로 결심한다. 그녀에게 찾아가 너를 살리고 싶으니, 너의 보호자가 되게 해달라고 고백한다. 드라마 [눈물의 여왕]의 한 장면이다. 다른 드라마나 영화에서도 보호자에 대한 묘사를 찾을 수 있다. 서로 호감을 느끼고 있는

남녀가 있다. 남자가 쓰러져 응급실에 가게 되고, 여자는 아련한 표정으로 그의 곁을 지킨다.

그때 간호사 등장.

"○○○씨 보호자 되시나요?"

(여자는 "보호자"라는 말에 깜짝 놀라지만, 이내 무언가를 결심한 표정으로) "네 맞아요."

이렇게 여자는 남자의 보호자가 되고, 둘의 사랑은 시작된다.

[보호: 위험이나 곤란 따위가 미치지 아니하도록 잘 보살펴 돌봄.]

누군가의 "보호자"라는 왕관을 쓰기 위해서는 그 무게를 견뎌야 한다.

2. 누군가의 보호자가 되는 것을 받아들여야 하는 3n살. 이것이 어른이 되어야 하는 과정이라면 최대한 늦게 보호자가 되고 싶었다. 친구들 몇몇은 이제 부모가 되었다. 그들에게서 예전과는 다른 진-한 책임감이 느껴진다. 뭐라 콕 집어 설명할 수는 없지만 인생 선배의 기운이 느껴진달까? 이래서 자식을 낳으면 어른이 된다고 하는 거구나! 부모가 되는 일이 아니더라도, 누군가의 보호자가 되는 것을 피해 갈 수는 없다. 아니 우리는 반드시 누군가의 보호자가 되고 만다. 나의 경우 몰티즈, "연"(13살/ 수컷/ 뚱한 표정 탑재, 심각하게 귀여움)의 보호자이다. 박찬욱 감독의 영화 아가씨에서 히데코는 "내 인생을 망치러 온 나의 구원자 숙희"라는 역설적인 문장으로 자신의 사랑을 표현했는데 꼭 내 마음 같은 대사다. 연이는 나의 마음을 구렁텅이에도 빠트리기도 하고 천국으로 보내기도 한다. 사람도 아닌 이 작은 생명체가 나의 삶 전체를 잡고 뒤흔들 것이라고는 상상하지 못했다. 이 하얀 솜뭉치는 나에게 보호자의 마음과 책임감을 혹독하게 가르치고 있다. 나는 연이의 보호자 왕관

을 쓰고 있다.

3. 부끄럽지만 내가 연이를 처음부터 마음 깊이 사랑한 것은 아니다. 좋아하는 마음이었달까? 연이를 좋아하는 마음에서 사랑하는 마음으로 넘어온 것은 내가 아프고 일을 쉬게 되면서부터다. 1년 동안 연이와 나는 24시간 중 22시간은 붙어있는 사이가 되었다. 이렇게 하루 종일 한 생명체와 붙어있는 것은 그 생명체를 깊이 탐구하게 하는 시간을 제공한다. 나는 연이를 알았지만 제대로 알지 못했다. 대화라도 할 수 있으면 좋으련만 불행인지 다행인지 우리는 대화를 나눌 수 없다. 그래서 나는 연이의 커다란 눈을, 작은 코를, 작고 삐뚤빼뚤한 아랫니를, 따듯하고 말랑한 몸을, 나에게는 없는 꼬리를 면밀하게 살피게 되는 것이다.

4. 13년 전, 온라인카페 강사모에 사정이 생겨 만두를 더 이상 키우지 못하니 입양처를 구한다는 글이 올라왔다. 하얀 얼굴에, 갈색 눈물자국이 가득했던 조그만 아이. 나는 그 강아지를 얼른 껴안고 싶다는 생각이 강하게 들었다. 20대 초반이었던 나는 그동안 반려견을 키워본 경험이 없지만 가족을 설득하여 데리고 오는 데 성공했다. 연이는 작은 케이지에서 이 상황이 무엇인지 어리둥절해하며 우리 집으로 왔다. 만두라는 이름보다는 사람처럼 예쁜 이름을 지어 주고 싶었다. (반려동물의 이름이 만두인 분들 오해 없으시길!) 고심 끝에 좋은 인연이 됐으면 하는 바람으로 '연(緣)'이라는 이름을 지었다. 우리의 인연은 그렇게 시작되었다.

5. 연이는 사회화 과정이 다 지난 시기에 우리 집에 오게 되었는데 (1살 때 왔지만 정확히 몇 개월째에 온 것인지는 모른다. 우리 집에 오고 나서 몸집이 더 성장하고 완전한 성견이 되었다). 2010년 동물자유연대에서 조사한 바로 한 주인이 강아지가 죽을 때까지 키우는 비율이 12%밖에 되지 않는다

으른을 아십니까

고 한다. 1년에서 5년 미만이 69%로 가장 높았다. 강아지의 평균 수명이 15년 정도임을 고려할 때 나머지 시간은 다른 보호자와 보내게 되거나, 힘든 생활을 하게 되는 것이다. 주제넘지만 지금 반려동물을 키우고 있다면 그 아이의 평생을 책임감 있게 보호해 주세요. 평생을 책임질 수 없다면 키우지 말아 주세요. 간절히 부탁드립니다. 2010년 조사이니 반려동물의 인식이 개선되고 있는 지금, 조금은 달라졌기를 기원해 본다.

6. 다시 돌아와서 내가 연이에게 사랑에 빠진 과정을 말해보자면, 그 커다란 눈에 내가 담겨 있음을 발견했을 때다. 잘 낫지 않는 몸에 자존감이 바닥으로 떨어지고 우울해서 힘겨워하던 그때. 죽고 싶지는 않았지만 딱히 살 이유도 없다고 생각했던 그때. 울고 있던 나를 연이가 빤히 보고 있었다. 그전까지는 연이가 내 눈을 마주하기보다는 내가 눈을 맞추는 편에 가까웠다. 연이는 하사하듯 눈길을 내주던 고고한 강아지였다. 그런 연이가 가만가만한 시선으로 나에게 말을 걸고 있었다. 그 순간 나는 마녀의 마법처럼 절대 풀리지 않을 사랑에 빠져버렸다.

7. 우리는 모든 일에 끝이 있다는 걸 가끔 잊고 산다. 그러다 와장창 맞닥뜨리게 되는 순간이 온다. 22년 연이는 입술에 악성종양 생겨 제거 수술을 하고, (입술에 있는 혹을 제거하다 보니 살짝 비웃는 인상이 되었는데, 그래도 귀엽다) 항암치료도 했다. 23년에는 앓고 있던 심장병으로 폐수종이 2번이나 와서 고비를 가까스로 넘겼고, 그 결과 신장이 망가졌다. 허리 디스크로 온몸을 바들바들 떨며 옴짝달싹 못 한 적도 있었고, 걷다가 비틀거리며 주저앉기도 했다. 사방에서 벽이 날 조여오듯 순차적으로 연이의 병이 찾아왔다. 4년 전부터 발작과 경련증세를 보일 때면 아무것도 해줄 수 있는 게 없어 이름을 부르며 의식을 살피고, 온몸을 주무르는 수 밖에 없었다.

우리는 '설마'에 기대어 안 좋은 일은 나와는 멀다고 생각한다. 하지만 '설마'의 장벽이 걷히는 순간 냉정한 현실을 받아들여야 한다. 내 스케줄의 중심에는 연이가 있다. 우리 가족은 연이가 혼자 있는 시간을 최소화하기 위해 팀으로 움직인다. 시간에 맞춰 여섯 종류의 약을 먹여야 하고, 피하수액을 놓아야 하며, 영양제도 챙겨 먹여야 한다. 연이의 건강과 삶의 질을 위해 산책도 당연히 기본이다! 출가 한 나는, 1시간 거리의 본가를 일주일에 몇 번씩 드나든다. 나보다 빨리 늙는 내 강아지를 보호하기 위해. 누군가 나에게 사랑이 무엇이라 생각하냐고 물었다. 나는 '책임감'이라고 답했다.

Ⅱ. "나"를 아십니까?

1. 어른: 자기 일에 책임을 질 수 있는 사람.

나이를 먹었다고 해서, 그러니까 세월의 흐름을 더 지나 보냈다고 해서 어른은 아닌 것 같다. 어른의 모습은 우리 모두에게 존재하는지도 모른다. 준비하는 과정일 수도, 발견되지 않았을 수도, 직면하고 싶지 않을 수도 있을 뿐. 지난해 나는 책임감이라는 단어를 몸으로 느끼고 배우면서 "어른"에 "ㅇ" 정도는 직면하게 되었다. 직면해 보니 성인(聖人:사리에 통달하고 덕과 지혜가 뛰어나 길이 우러러 받들어지고 만인의 스승이 될 만한 사람을 일컫는 말)은 어려울 것 같고, 나다운 어른이 되어야겠다는 생각이 들었다.

2. 헤르만 헤세는 자기답게 사는 것이 인생에서 가장 중요한 문제라고 말했다. 그의 책 [나로 존재하는 법]에 따르면 "자신의 성향과 취향을 가능하면 한껏 개발하고 발휘하는 것 말고 자기실현의 다른 방법이

있던가. '자기 자신이 돼라!'라는 것은 이상적인 법칙이다. 자기답게 사는 것 외에 성장하고 진리에 이를 수 있는 길은 없다." 따라서 내가 진정 사랑하는 일에 헌신을 다하라고 말한다. 여기서 의문이 생긴다. [나=일]인 것인가?

　일은 생계유지 수단이고, 때로 보람도 있으며, 나를 성장시키고, 자아실현도 시켜주지만, 일이 나의 전부를 대변할 수는 없다(일을 빼고 나를 말하는 것도 불가능하기는 하지만). 그렇다면 도대체 나 자신으로 사는 것은 무엇인가! 최근에 나를 탐구하기 위해 다양한 시도를 했다. 일단 2024년을 살아가는 현대인이라면 필수적으로 진행하는 MBTI 검사를 무려! 공식 진단지로 시행했으며(인터넷에서 한 검사와는 다른 결과가 나왔다!), 나의 사상체질을 알고 싶어 한의원을 방문해 체질 검사도 했다. (나에게 맞지 않는 음식도 알게 되고, 내가 평소 불편하다고 느꼈던 부분들이 체질과 연관이 있음을 알게 되었다. 맹신은 아니지만 의지는 하고 있어요. 하하!) 나를 시험 해보고 싶어 무리한 일정을 만들고, 어떤 결과물을 만들어 내는지도 관찰하였다(몸에 탈이 납니다. 무리하지 마세요!). 그래서 나를 알게 되었나?

　3. 헤세가 말하는 "진정 사랑 하는 일"은 직업으로서의 일만이 아니다. 봉사, 예술 활동, 동물보호, 취미 활동일 수도 있다. 무엇이든 내가 진정으로 사랑하는 일을 찾는 것은 삶에서 중요한 문제이다. 이것은 내 삶의 기준과 방향을 세워줄 "고집"으로 연결되기 때문이다. 사랑하는 일에 전념하고 몰두하다 보면 그것에 대한 나의 세계관이 형성되고 그 세계는 다른 세계와 연결된다. 그 예로 나는 연이를 사랑하는 마음이 커지다 보니, 자연스레 채식에 관심을 갖게 되었고 채식을 지향하는 삶을 살고 있다. 누군가의 판단도 원하지 않고, 증명하고 싶은 마음 없이 그냥 나의 길을 가고 있다. 헤세가 말하는 고집은 나를 행복하게 하고, 더 나

아가서는 이 세계를 더 낫게 만드는 것이다. 나는 고집을 그렇게 거창하게 가져가지는 못하겠지만 적어도 나다움을 찾는 일에 두세 방울 섞을 생각이다.

혜세의 말을 종합해 보면 나다움은 취향과 고집을 갖는 것이다. 이는 곧 나의 색을 명확히 하고, 나만의 특별한 감각을 갖는 것이라 생각한다.

그렇다면 나다움+어른=
1) 나를 **행복하게 만드는 취향**을 가진 어른이 되고 싶다.
2) **선한 고집을 가진** 어른이 되고 싶다('선한 고집'이란 아집이 아니어야 하고, 남에게 피해를 주지 않아야 한다. 더 나아가 세상에도 좋은 영향을 미칠 수 있다면 아주 좋은 어른이리라).

3. 그러고 보니, 위 두 가지를 가진 어른(들)을 만난 적이 있다. 표정은 구겨진 곳 없이 편안했으며, 눈동자에는 반짝이는 별을 간직했다. 있는 그대로 자신을 드러내는 것에 부끄러움이 없었다. 지나치게 자신에게 함몰되어 있지 않았으며, 타인을 살필 줄 알았고 주위를 볼 수 있는 사람이었다. 때에 따라서는 적확한 말로 상대를 움찔하게 만들기도 했다. 단단한 것 같지만 말랑한 것 같기도 했다. 나는 가끔 그들의 눈을 똑바로 응시할 수 없었다. 내 어리숙하고 못된 마음이 들킬까봐. 내 얕은 마음이 그대로 읽힐까봐. 그들은 이런 내 마음도 괜찮다며 다독여 줄 텐데 말이다.

4. 좋은 사람, 좋은 스승이 되기 위해 이 글을 쓰는 것은 아니라고 밝혔다. 하지만 얼마 전 나의 스승님들로 인해 생각의 변화가 생겼다.

으른을 아십니까

스승의날을 기념하여 교수님들과 행사를 진행했을 때의 일이다. 행사를 마무리하며 한 교수님께서 짤막한 말씀을 하셨다. "그동안 좋은 스승이 되기 위한 고민을 많이 했어요. 그런데 그것보다는 좋은 제자를 키워야겠다고 생각을 바꿨어요." 교수님의 중심이 '나'에서 '제자'에게로 옮겨간 것이다. 결국 지향하는 바가 비슷한 거 아닌가? 생각할 수 있지만 차이가 있다. 시선을 바꾸는 것은 마음의 방향도 바꾸기 때문이다.

연장선으로 다른 교수님의 말씀도 소개하고 싶다. "결핍을 느끼게 하는 가르침이 좋은 가르침입니다." 좋은 스승의 자질은 제자의 가능성과 잠재력을 발견하는 것이라 생각했다. 하지만 이는 너무나 기본적인 것이며 진정한 확장과 성장을 할 수 있도록 돕는 것이 스승의 일인 것이다. 그것은 바로 결핍을 마주할 수 있는 용기를 주는 것이다.

자신의 결핍을 바로 보는 일은 너무나 괴로운 일이다. 그래서 처음엔 퇴행의 과정을 거칠 수도 있다. 뒷걸음치는 것도 당연하고, 아이처럼 울 때도 많을 것이다. 하지만 어른이 되기 위해 퇴행은 꼭 필요한 단계이니 용기 내 볼 필요가 있다. 나의 지난 시간은 퇴행의 시간이었다. 나는 그 시간이 끝나지 않을까 봐 두렵고 끔찍했다. 하지만 모든 일에 끝이 있듯 그 시간은 영원하지 않았다. 지금 나는 좋은 어른과 스승님을 만나 다시 걸음마를 시작한 아이가 되었다. 그 발걸음은 나를 정확한 행복으로 이끌었다. 나의 고집에 확신을 갖게 했다.

혹 나의 발자국을 보며 걷는 이가 있다면 나는 그의 행복을 궁금해할 것이며, 그의 고집을 응원할 것이다. 그리하여 나는 좋은 어른이 되고 싶다.

이동환

초연(超然)한 삶은 초연(初演)에서 출발한다

나는 지금까지 어떠한 삶을 살아왔는가

Chat GPT를 사용해 새로운 분야에 도전을 갈망했다

AI의 본질과 나의 관심사를 연결시켜보니, 주식투자를 시작하게 되었다

마음의 부자로 만들어주는 독서도 단단한 사람이 되는 데에 도움을 주었다

'나'를 드러내고 구체화하기 위해 퍼스널브랜딩 클래스를 수강했다

글쓰기에 집중하여 나를 진정성 있게 드러내고 있다

초연(超然)한 삶은 초연(初演)에서 출발한다.

글의 제목을 정하기 위해 하루 10분씩 꼬박 2주일을 고민했다. 짧은 시간이지만, 많은 경험을 하며 변화하고 있는 나의 삶을 글로 기록하고 싶었다. 하지만 마음에 드는 글의 제목이 떠오르지 않았다. 아름다운 단어를 인터넷에 검색하기도 하고, 주변 지인들에게 조언을 구하기도 했다. 신기하게도, 우연한 계기를 통해 제목을 정할 수 있었다. 오랜만에 만난 친구와 서로의 고민에 관해 이야기하며, 우연히 '요즘 내 삶은 초연한 것 같아'라는 말이 입 밖으로 나왔다. 처음 사용한 단어 같은 느낌이었지만, 어렴풋이 뜻을 알고 있는 것 같았다. 표현할 수 없는 두근거리고 오묘한 감정이 마음 한구석에 자리 잡았다. 기억을 휘발시키지 않으려 여러 번 되뇌며 집으로 와 단어의 뜻을 찾아보았다.

'초연하다(超然하다)'
1. 형용사: 어떤 현실 속에서 벗어나 그 현실에 아랑곳하지 않고 의젓하다.
2. 형용사: 보통 수준보다 훨씬 뛰어나다.

'초연(初演)'
1. 명사: 무용이나 연극 따위를 첫 번째로 공연함. 또는 그 공연.
2. 명사: 첫 번째 출연.

이 단어의 뜻을 보는 순간, 드디어 글의 제목을 정할 수 있겠다는 개운한 느낌이 들었다. 예전보다 많은 점이 달라졌지만, 그중에서도 가장 체감이 되는 변화는 문제를 해결할 때까지 끊임없이 고민하는 자세인 것 같다. 분명 하나의 고민에 열중했음에도 불구하고, '내 인생을 어떻게 대해야 할 것인가?'라는 질문에 대한 답 하나와 조금씩 변해가는 나를 드러낼 수 있는 이 글의 제목으로도 적합한 초연이라는 말을 찾으며 내가 가진 고민 2가지를 한 번에 덜어낼 수 있었다.

BTS의 1집은 기억하는 사람은 거의 없지만, 이들은 피나는 노력과 연습 끝에 지금의 자리에 올랐다. 에디슨도 전구를 만들기 위해 1000여 번을 실패했다. 나의 인생도 시행착오와 실패의 연속일지라도 호젓함으로 이겨내고자 한다. 누구에게나, 시작은 떨리고 설레며 두렵기 때문이다.

나는 지금까지 어떠한 삶을 살아왔는가?

어릴 적 나는, 매우 겁이 많은 아이였다고 부모님이 말씀해주신다. 남들 앞에 나서는 것을 무서워하고, 새로운 일에 도전하는 것을 두려워했다. 짜장면집에 전화를 거는 것도 무서워 쫄쫄 굶었던 기억이 부끄러운 기억으로 남아 있다. 하지만 유년 시절의 기억 속에는 행복이 훨씬 크다.

3남매를 넘치는 체험활동으로 키우고자 하신 부모님 밑에서 주말마다 교외로 놀러 다니며 다양한 체험을 할 수 있었다. 에버랜드 놀이공원 연간회원권을 끊어 1달에 1번은 놀러 가기도 하고, 아이들이 마음껏 뛰어노는 모임이라는 동호회를 만들어 방학의 주중에는 운동과 모임을 했다. 특히 방학의 주말이 기억에 많이 남는데 여러 가족이 캠핑장, 스키장, 딸기체험, 산천어축제, 리조트, 워터파크 등 안 해본 경험이 없을 정도로 재밌게 놀았다.

많이 사랑받고 자란 나는 보통의 사람들보다 부모님에 대한 감사함이 조금 더 각별한 것 같다. 두 살이 조금 넘었을 무렵, 막 말을 배우고 시작하던 내가 말을 더듬기 시작했다고 한다. 이 사건을 계기로 부모님이 내게 쏟는 애정은 더욱 각별해지기 시작했다. 증상을 고치기 위해 부모교육의 대가이신 분께 매일 2시간씩 부모교육을 받으셨다. 건강한 교육, 더 많은 사람을 만나게 해주시고, 다양한 체험과 경험들을 쌓을 수 있도록 노력하시는 이유를 시간이 흐른 뒤에 여쭤보았다. '어렸을 때, 더욱 잘해주지 못해 미안해서'라는 대답을 들었을 때, 겉으로 덤덤한 척했지만, 속으로는 죄송한 마음과 감사함을 찐하게 느꼈다.

자식을 향한 애정과 좋은 것만 가르쳐주고 싶은 멋진 분들 밑에서 자라왔기 때문에 부모님의 말씀은 다 맞다고 생각했다. 가끔 학교 친구들이 마마보이라고 놀렸으나, 스스로도 인정하던 부분이었기에 크게 개의치 않았다. 그렇지만 알게 모르게 내가 원하지 않던 일을 계속해야만 했었다.

초등학교 6학년 때에는 중학교 오케스트라에 꼭 들어야 한다는 이유로 매주 2시간씩 첼로를 배워 오디션을 봐야 했다. 중학교에 다니며 과학 성적이 탁월했던 반면 영어성적은 신통치 않아 과학고를 준비했었던 것 같다. 오전 10시부터 밤 10시까지 학원에 앉아 수학 선행 진도를 나가던, 지옥 같던 경험이었다.

수학에 일찌감치 흥미를 느끼지 못했던 나는 고등학교를 인문계열로 진학하고 싶었음에도, 이공계열이 취업이 잘된다는 어머니의 말에 큰 반항 없이 결정을 따랐다. 수능을 보기 전까지, 기하와 벡터 과목으로 마음고생을 정말 많이 했다. 대학교도 수시전형으로 합격했었는데, 6개의 수시전형 중 딱 한 곳인 인하대학교만 합격했다. 수시납치라고 하지만, 수능성적이 2등급대였기 때문에, 운이 좋게 들어갔다고 할 수 있다. 지금 생각해보면 당시 나는 마음이 붕 떠 있었던 것 같다. 내 기준에서는 괜찮았던 것 같지만 부모님께서는 충분히 아쉬우셨으리라 생각해본다.

막 성인이 된 이때쯤부터, 저항이라는 것을 해보기 시작했다. 게임에 푹 빠져 학점을 챙기지 않았다. 아들의 일탈이라 여기셨던 부모님은 재수를 권유하셨지만, 끝까지 하지 않겠다고 버텼다. 도저히 할 자신이 없었다. 수학이라는 학문에 학을 떼버릴 내 모습이 훤히 보였기 때문이다. 한 번 내가 뜻한 대로 하니, 후회는 해도 탓할 곳이 없어서 좋았다. 내가 선택한 결정이니, 책임도 내가 져야 한다는 당연한 생각을 20대 초반이 넘어서야 비로소 깨닫게 된 것이다.

친구들과 여행을 다니고, 문화생활을 즐기며 평범한 보통의 대학생처럼 4년을 보냈다.

그러다 24살이 되어서야 현실의 벽을 마주했었다. 대학교에서는 주변 사람들에게 도움을 주고, 의지가 되는 사람이었지만 현실은 그렇지 않았다. 첫 직장을 구하고 인턴 생활을 하며 거의 매일 내가 우물 안에 갇힌 개구리였었다는 사실을 깨달았다. 앞으로의 이야기에서 차차 담을 이야기를 결론만 이야기하자면, 3달간의 기간 동안 정말 많은 것들이 바뀌었다.

가장 많이 나를 바꾼 행동을 크게 3가지로 구분하여, 어떻게 내가 바뀔 수 있었는지 이야기해보려고 한다. 확실한 한 가지는 이제야 하나의 임계점에 도달했다는 느낌을 받는다. 초연이라는 단어는 어쩌면 무의식적으로 추구했던 삶의 방향이자 이상향에 가깝다.

Chat GPT를 사용해 새로운 분야에 도전을 갈망했다.

한국사능력검정시험 1급 시험 7일을 앞두고, GPT 유료 버전의 결제가 가능하다는 메일이 날아왔다. 정말로 아무 생각 없이, 통장에 결제가 가능한 금액만큼은 있었기에 요금을 내고 사용해 보았다. 아직도 선명했던 기억은, 앉은 자리에서 내리 4시간을 GPT를 사용했다는 것이다. 이마저도, 질문의 개수가 시간당 허용 가능한 개수를 초과했기 때문이었다. 질문 하나를 하기 위해 고민하는 시간은 상상이라는 도화지에 두

초연(超然)한 삶은 초연(初演)에서 출발한다

근거리는 심장박동은 멋진 BGM이 되어주었고, 지금 사용하고 있는 시간은 물감이 되었다. 굳고, 색마저 바래버린 추억이라는 그림을 그려 놓은 나에게 GPT라는 도구는 그림을 쉽게 그려 줄 붓이 아닐까?

당연한 이야기이지만, 생각의 전환만으로는 무리가 있었다. 예시로 표현하자면, 25년간 타고 다니던 차의 엔진만 바꾼 것이다. 즉, 손을 봐야 할 곳이 너무나도 많았다. 이를 깨닫는 데 1달이 걸렸다. 무엇이든 할 수 있을 것 같아, 닥치는 대로 수익화를 만들었다. 생각할수록 너무나도 부끄럽지만, 나 자신을 속일 이유는 없기도 하고 아주 멍청한 실수이니 다시 깨닫기 위해 내 실수들을 적어봐야겠다.

1) 준비하던 공기업을 속된말로 때려치웠다. 패기롭게 한국사시험을 보러 가지 않았다. 어차피 공기업에서만 필요로 하는 자격증이라 생각했다.

2) Open AI로 주식을 자동매매하는 프로그램을 만들겠다고 선언했다. 내 생각이 특별하다고 오만함을 가졌다. 이후에 조사해보니 이미 수백 가지 프로그램이 있었다.

3) 블로그로 수익화를 내보기로 했다. 얼마나 어렵고, 정성이 들어가야 하며, 수많은 경쟁자가 있는지 전혀 생각하지 않았다. 지금은 수익화가 되고 있긴 하니, 이건 실수가 아닐 수도 있다는 생각이 드는 것 같다.

4) AI를 활용하지 않는 사람들은 모두 '잉여 인간'이 되어버린다고 생각했다. 내 주변 사람 중 아무도 유료 버전이나 Gemini와 같은 도구를 사용해 보지 않았으며, 앞으로도 쓰지 않을 것이라 말한다.

닷컴버블처럼, 내 마음속에도 거품이 꼈던 것일까? 쉽게 타오른 열정은 그만큼 빠르게 사그라들고 있음을 스스로 인지할 수 있었다. 꺼져

가는 불씨를 살리기 위해 매일 동기부여와 다짐을 자신에게 건넸다. '모두에게 같은 24시간이 매일 주어진다면, 나는 그 시간을 피보다 진하게 써보자'라고. 노래 제목이나 마술사들의 주문으로도 유명한 '아브라카다브라'라는 말은 사실 질병이나 불행으로부터 지켜 달라고 성령의 도움을 기도할 때 사용하는 주문이라는 것을 아는 사람은 많지 않을 것 같다. 나 역시, '피보다 진하게 시간을 쓰자'라는 말이 도움과 기도를 염원하는 주문이라는 것을 후에 깨달았다.

AI의 본질과 나의 관심사를 연결해보니, 주식투자를 시작하게 되었다

스스로 내린 결론은, GPT의 장점에 집중해봤다. 정보의 사실관계는 다를 수도 있으나 많은 양의 정보를 정리하는 데 큰 도움이 되었기 때문에 AI를 활용한 주식투자에 집중해 보기로 했다. 먼저 한 달에 6만 원이라는 돈을 들여 시중에 유통되고 있는 AI 자동매매 프로그램을 사용해 보았다. 결과는 손실이었다. 특히 잘 알지도 모르는 기업에, 매수 신호가 뜨면 매수하고 매도 신호가 뜨면 매도하는 게 너무나 지루했다.

투자가 아니라 도박을 하는 것 같은 기분이 들 때쯤 GPT에게 내가 투자하고 싶은 AI 주식을 추천해 달라고 요청했다. 같은 질문을 다른 관점에서 여러 번 질문하기도 했다. 단순히 'AI 주식을 추천해줘!'라고 물어본 것이 아니었다. 예를 들면, 엔비디아가 반도체 시장에서 압도적인 지위를 차지하고 있어. 이 기업은 고평가 된 것 같은데, 너의 의견을 물어보고 싶어'라고 물어보았다. 같은 종목을 알려주더라도 질문하는 사람의 능력에 따라 얻을 수 있는 정보의 격차는 매우 컸다. 투자의 기본 원칙을 수립하기 위해 '내 인생의 첫 주식공부'라는 책을 찾아 공부했다. 요즘 수학 문제집으로 가정하면 개념원리와 같은 문제집 정도 되려나? 어려운 말들은 제법 있었지만, 확실히 기초를 쌓는 데에는 도움이 되었다.

나의 첫 투자 원칙은 피터 린치의 영향을 많이 받았었다. 주변에서 볼 수 있는 기업에 투자하고 싶었고, 처음 투자했던 기업이 넷플릭스였다. 운 좋게 실적발표일과 맞아떨어져 그동안 잃었던 돈을 모두 복구했다. 복구하고 나니 주식이 손실이 나도 조급한 마음에 매수나 매도를 하지 않았다. 워런 버핏이 절대 돈을 잃지 말라고 강조했던 투자의 제1원칙이 기억이 났다. 그 이후로는 화젯거리인 기업들(마이크로소프트, 엔비디아, 구글, 테슬라 등)을 정말 열심히 공부했던 기억이 난다. 기업의 재무제표를 분석하여 다가오는 실적발표일에 예상 전망치를 뛰어넘을 수 있을 것인지를 집중적으로 공부했었다. 그 결과, 1분기에 투자했던 기업인 엔비디아와 슈퍼마이크로컴퓨터에서 큰 이익을 거두었으며 이는 더욱 열심히 공부하는 계기가 되었다.

모든 시장에 진입하지 않았으며, 많은 기업에 투자하지 않았다. 확신을 가진 기업에만 투자하였고, 나의 이유와 근거를 적극적으로 토스 커뮤니티 사용자분들과 공유했던 것 같다. 좋은 의견도 많이 들었지만, 주식을 처음 시작하는 사람들이 정말 많아 보여 도움을 주고 싶었기 때문이다. 특히 언제 사고, 언제 팔아야 하는지 조언을 구하는 분들이 정말 많았다. 가끔은, 본인이 팔았더니 가격이 오르고 다시 매수했더니 가격이 내려갔다는 귀여운 말씀을 하시는 분들도 계셨다. 한 달에 10~20만 원의 수익만 내도 행복할 것이라는 주주분도 계셨고, 어떤 식으로 경험을 쌓아야 좋은 투자자가 될 수 있는지 여쭤보는 분들도 계셨다. 정말 많은 분이 순수한 마음을 가지고 커뮤니티에 용기를 내어 글을 올리시는 모습에 진한 감동했던 나는 마음을 다해 나의 시간과 경험을 공유했다. 그 글 중 하나를 요약해 보았다.

<곰곰이 생각해 봅시다>

우리가 먹는 점심, 저녁, 심지어는 커피조차 뭘 먹을지 고민하며 내가 원하는 것을 먹습니다. 직장에서 하루 8시간씩 일을 하는 이유도 여가와 문화생활을 즐기고 여유로운 삶을 살기 위해 치열하게 살고 있다고 생각합니다.

하물며 1주에 백만 원에 가까운 주식을 매수, 매도하는 데에 있어서 적어도 내가 구매하는 종목이 어떤 종목인지는 알고 사야 하지 않겠습니까? 주식은, 치열하게 공부하고 분석할수록 나에게 유리한 싸움이 된다고 생각합니다.

훌륭한 기업일수록, 조금만 공부하더라도 숨겨진 잠재력이나 가치를 판단할 정보가 널려 있습니다. 어떤 정보를 취할지는 본인의 선택이겠지만 말이죠. 언제나, 최악을 이겨낼 마인드셋과 대비책은 준비되어 있어야 할 것 같습니다.

핸드폰으로 투자를 하시는 분들에게 필요한 말은, 어려운 경제용어가 아니라 종목을 대하는 자세, 흔들리지 않는 마음가짐이 중요했던 것일까. 나의 글들의 초점은, 처음 투자를 경험하며 얻었던 인사이트나 경험을 초보자도 이해하기 쉽게 글로 자주 썼었다. 나중에 알고 보니, 증권사 앱 중 신규 유입자가 가장 많은 앱이 '토스'였다는 사실을 알게 되었다. 경험을 전하며 투자 전략을 수정해 나가던 중, 토스 증권 수익실현 상위 10%에게 주는 주식고수 배지와 팔로워 500명 이상일 때 주는 인플루언서 배지를 얻게 되었다. 이 과정 속, 나의 의견과 생각을 솔직하게 담아내려는 90개 이상의 글들을 통해 나를 드러내는 데 얼마나 중요한 역할을 하는지 알게 되었으며, 진심으로 꾸준히 노력하다 보면 결과는 따라올 것이라는 확신하게 되었다.

주식을 처음 시작하며 돈을 벌겠다는 생각보다는, 잃지 않겠다는 마음을 굳게 다짐했었다. 내게 주식투자는 하나의 재테크 수단이자 부업이지, 본업이 되고 싶지 않았기 때문이다. 그러나 기가 막힌 타이밍에 들어간 나머지 한 달 평균 수익이 직장을 다니며 얻는 돈보다 많아지게 되었다.

과연 나는 행복했을까? 내 인생의 소설에, 나의 모습을 전지적 작가 시점으로 묘사한 작가가 있었으면 좋겠다는 생각이 든다. 전혀, 행복하지 않았으며 오히려 불안했다. 나의 역량에 비해 과분한 결과를 얻었다는 걸 오랜 시간이 지나지 않아 깨달았으며, 다음과 같은 이유로 설명할 수 있다.

1) 나도 모르게, 주변 사람들에게 종목을 추천하거나 투자를 하라고 홍보하고 있었다.

2) 주 거래시간이 새벽 시간대인 미국 주식의 특성상, 몇 달 동안 자다 깨기를 반복했으며 어느 날은 꿈에서 하한가 모양의 그래프가 내 뒤를 쫓아오는 악몽을 꾸기도 했다.

3) 직장에서도 핸드폰을 쉽게 손에서 떨어뜨려 놓기가 어려웠고

4) 수익과 손실에 일희일비하는 내 모습을 발견하였다.

5) 나보다 훨씬 주식투자를 잘하시는 숨겨진 고수분들이 많았다.

불안감이 비롯된 근본적인 이유는, 결국 경제에 대한 이해가 부족했기 때문이었다. 가치투자를 지향했지만, 이제는 메크로투자를 지향해보려고 한다. 다양한 지표들을 공부하고 해석하며 거시경제에 따라 투자를 해보려고 한다. 이 투자기법의 장점은 위험성을 줄일 수 있다는 점이다. 이미 올해 목표한 수익을 달성했기 때문에 경제를 공부해나가면서 다음 기회를 관망하고 있다.

본인만의 확실한 투자철학이 있어야 한다. 나의 경우, 이익 실현보다 손절매를 더욱 과감하게 한다. 그 종목은 되도록 살펴보지 않으며, 다양한 섹터들을 공부하고 있다. 내가 보유하고 있는 주식이 언제나 상승만 할 수는 없으니 시간적 여유를 가지고 투자하겠다는 스스로와의 약속을 지금도 지켜나가고 있다.

마음의 부자로 만들어주는 독서도
단단한 사람이 되는 데에 도움을 주었다

인턴으로 출퇴근을 하는 시간의 비효율성을 줄이기 위해 지하철에서 책을 읽기 시작했다. 출퇴근 시간의 지하철은 항상 만원이어서 종이, 책을 읽기가 쉽지 않았다. 책이 무거운 점과 들고 다녀야 한다는 불편한 점을 해결하기 위해 '밀리의 서재'를 구독하여 전자책을 읽기 시작했다.

처음에는 경제를 공부하기 위해 경제경영 관련 도서를 주로 읽었다. 투자자들이 이야기해주는 주식시장에서의 주의할 점을 읽다 보니, 이는 삶과 밀접한 관련이 있다는 것을 깨달은 나는 한 분야의 책만 읽지 않기로 했다. 자기계발, 소설, 인문학 심지어는 오디오북이나 사전을 찾아보기도 했다.

가고자 하는 길에서 먼저 성공하신 분의 말씀을, 책 한 권으로 들을 수 있다는 건 행복한 일이니까. 한 달에 평균 10권의 책을 읽었지만, 가장 도움이 많이 되었던 책들을 골라서 소개해 보려고 한다.

먼저, 고토 하야토 작가의 '나는 저녁마다 삶의 방향성을 잡는다'이다. 아침 시간과 저녁 시간에 습관을 형성한 변화만으로 인생의 역전을 경험하신 분이다. 습관을 어떻게 형성하고, 실천해야 하는지 궁금증을 해소하기 위해 읽기 시작한 책이었다.

'낮 동안의 자신을 끌어들이지 말아야 한다는 것이다.'라는 말에서, 기분이 태도가 되어 하루를 망치는 일이 빈번했던 자신을 돌아보게 되었다. 사람은 행복한 일보다 속상하고 화가 나는 일에 감정을 조절하는 일이 어렵다고 한다. 감정이 내 마음 같지 않을 때, 떨쳐버리는 것 또한 하나의 중요한 습관이 지금은 되어 있다.

'지친 하루의 끝, 우주의 에너지를 충전해 충만한 마음으로 잠자리에 들어보자'라는 말에 깊은 감명을 받았다. 9to6의 회사생활 이외의 일을 시도해 보았다. 자기계발을 위해 플래너를 사고 스스로 동기부여를 하며 나름으로 열심히 살았지만, 잠을 자는 시간이 들쑥날쑥했었다. 우선, 새벽 2시 이전에는 꼭 잠을 자야 한다는 스스로와의 약속을 만들었다. 이 시간에 잠자리에 들 수 있도록 에너지를 온전히 쓰게 되었으며, 잠들기 직전 딱 5분만 자신을 아껴주고 있다.

'하루를 알차게 보내는 사람은 전날 저녁, 다음 날 일정을 미리 확인하고 머릿속으로 시뮬레이션을 해본다.' 이 말에서 영감을 얻어, 반나절 정도 시뮬레이션을 시도하고 있다. 인턴을 시작하고 일이 체계화되지 않았을 때 오전 시간과 오후 시간에 할 일을 명확히 구분했다. 덕분에 평소보다 일하는 데에 걸리는 시간이 30%나 줄었고, 남는 시간을 활용해 자격증 공부나 블로그 글에 집중할 수 있었다.

'기회는 언제 어디서 나타날지 모른다. 확실하게 붙잡기 위해서라도 언제나 최선의 옷을 선택해야 한다.' 자기계발을 꾸준히 지속하며 기회는 이미 내 주변을 돌고 있다는 생각이 들었다. 글을 쓰고, 투자하는 이유는 결국 나의 역량을 증명하고, 많은 기회를 잡기 위해 노력하는 하나의 과정이기 때문이다.

두 번째 책은 드로우앤드류의 '프리웨이'이다. 자기계발을 하며 퍼스널브랜딩의 중요성과 컨설턴트의 꿈을 가질 수 있었다. 신간 출간 소식에 이벤트를 신청했는데 당첨이 되었었다. 나와 주변인들의 관계가 소원해지는 현상에서 온 회의감에 약간의 번아웃이 오려던 찰나에 접했던 책이었다.

고민이 있을 때마다 그 분야에서 성공한 사람의 책을 읽는 걸 좋아하게 되었다. 만약 나의 꿈이 회사원이었다면, 성공한 회사원의 책을 찾아 읽지 않았을까. 자기계발에 드는 돈이 아깝지 않다는 걸 알려주신 분이시자, 수익을 위해 끊임없이 재투자하는 것이 나를 위한 길임을 알려주신 분의 책이었다.

'고유한 멋과 품격을 가진 사람은 자신만의 아비투스를 가지고 있다.' 더 멋진 아비투스를 가지기 위해, 나의 취향과 습관, 아우라인 아비투스를 형성하기 위해 다양한 자기계발에 발을 들이지 않았을까 생각해본다. 좋은 진동을 뿜어내는 사람은 서로의 진동을 미리 알아보고 어울리고, 나쁜 진동을 뿜어내는 사람은 비슷한 계열의 사람에게 반응하는 것처럼 말이다.

'개척자들이 보여준 시행착오는 나를 더 멋진 곳으로 이끄는 훌륭한 선생이 된다.' 자기계발뿐만 아니라 다양한 장르의 책을 읽는 목표이다. 이미 나보다 한참 먼저 앞서가신 분이, 뒤따르고자 하는 수많은 사람을 위해 시간과 정성을 들여 쓴 글쓰기를 읽어보지 않을 이유는 없지 않을까. 그리고 '나'라는 사람을 브랜딩하기 위한 시작은, 글쓰기라는 생각이 들었다.

'나'를 드러내고 구체화하기 위해
퍼스널브랜딩 클래스를 수강했다

실천할 방법을 구체화하기 위해 퍼스널브랜딩의 대가이자 내가 다니는 대학교의 교수님이셨기도 한 조연심 교수님의 클래스를 직접 수강했다. 강의를 들으며 많은 부분이 부족하다는 것을 느꼈다. 현재 나의 상태는, 브랜딩을 해나가는 과정이나 마케팅이 전혀 이루어지지 않았다. 독서라는 인풋을 통해 의식을 넓혀가고 있었으나 아웃풋을 어떻게 하는지 몰랐다. 또한, 통제할 수 없는 일과 통제할 수 있는 일을 구분하지 못하고 있었다. 한마디로 나의 관심 분야와 나의 영향력을 행사할 수 있는 분야를 확실히 정해야 할 필요성을 느꼈다.

그제야 조금씩 퍼즐이 맞춰지기 시작했다. 주식시장에서 두려움을 느낄 수 있었던 이유를. 또한, GPT 프로그램으로 느꼈던 좌절들은 내가 통제할 수 없는 영역으로부터 왔던 두려움이었다는 걸 깨달았다. 그제야 나는 (1) 무엇을 하는 사람이고 (2) 어떤 일을 할 것이며 (3) 왜 나라는 사람을 택해야 하는지를 브랜딩 할 수 있었다.

<인생의 이정표가 필요한 이들에게,
해야 할 일을 줄이고 하고 싶은 일들을 늘려나가고 싶은 사람들에게,
다양한 도구를 이용하며 스스로 가치를 올리고 싶은 모든 분에게
세상을 바라보는 시선을 확장하고 싶은 자기계발의 고수가 되어
저의 가치를 공유하고 싶습니다.>

이런 사람이 되고 싶었다. 글을 다이어리와 플래너에 적어, 매일 아침 소리 내 읽고 있다. 마음이 후련했다. 이제 왜 나라는 사람을 선택해야 하는지 증명할 차례이다. 큰 목표가 세워지니 작은 목표들을 조금씩 세워나갈 수 있었다. 나의 가치를 높이기 위한 일들이 자기계발이라고 생각했고 작은 목표로부터 출발해야 조금씩 큰 목표를 이뤄나갈 수 있다고 믿었다.

글쓰기에 집중하여 나를 진정성 있게 드러내고 있다

커뮤니티에서 네이버 블로그로 옮겨 글을 쓰기 시작했다. 글의 주제는 아무래도 상관이 없었다. 그저 내가 하는 일들을 기록하기 위함이었으니까. 인상 깊게 읽은 책을 올리기도 하고, 미국 시장의 주요 지표나 실적발표일을 점검하는 경제 관련 포스팅을 하기도 했다. 부족한 글이지만 읽어주시고 댓글과 공감을 남겨주시는 분들과 토스 커뮤니티에서 보다 더욱 긴밀하게 도움을 드릴 수 있었다.

SNS의 신기한 점 중 하나는 비슷한 결을 가진 분들을 더욱 쉽게 찾을 수 있었다. 현재 함께하고 있는 블로그 페이스 메이커 프로그램도, 내가 닮고 싶은 사람들을 찾아서 글을 읽고, 이웃을 걸다 보니 내게 온 소중한 하나의 또 다른 기회가 되었다. 운이 좋게 참여하게 된 나는 이미 나보다 먼저 블로그에서 오랜 기간 활동해오신 분들의 아낌없는 조언과 미션들을 수행해가며 소중한 인연들을 함께 만나게 되었다. SNS를 새로운 방향으로 활용해야겠다는 생각이 든 순간이었다.

처음 블로그를 시작할 때만 하더라도 정보전달에 목적을 두었었다. 하지만 점차 쌍방향 소통으로 변화하며 뜻과 마음이 통하는 이웃님들을 만나 뵙게 되었다. 이웃님들과 일상을 공유하고 댓글을 진정성 있게 쓰다 보니 이웃님들의 이웃들이 블로그에 유입되기 시작했다. 이분들과 점차 관계를 맺고 확장하다 보니 투자나 글쓰기, 쿠팡 체험단이나 전자책 출판을 해볼 기회가 생기고 있다. AI가 많이 발전하더라도 결국 본질은 사람에게서 나온다는 것을 깨달았다. 특히 블로그를 주기적으로 관리하기가 어려웠는데, 매일 포스팅하는 자신의 목표와 함께 프로그램에 참여하는 이웃님들과의 약속을 지키기 위해 다양한 글쓰기를 이어나가고 있다. 이 점이 생각이 넓어지고 나를 뚜렷하게 드러내는 데에 큰 역할을 한 것 같다. 현재는 400분의 이웃분들과 함께 행복한 블로그 생활을 이어나가고 있다.

위기가 전혀 없었던 것은 아니었다. 글쓰기 수준이 형편없다고 생각하기도 했고, 훌륭한 분들이 블로그를 나보다 열심히 하는 모습에 벽을 느끼기도 했었다. 그럴 때마다 응원해주신 블로거님들이 정말 많이 계신다. 특히 따뜻한 위로와 응원의 말을 게시물마다 장문으로 남겨주신 '그녀의 안내원'님 덕분에 정말 많은 위로를 받았다. 이 프로그램의 기획자이신 '포미'님 덕분에 인복이 많은 사람이라는 걸 느끼며, 늦더라도 생각과 정보들을 매일 꾸준히 포스팅할 수 있었다. 덕분에 블로그의 규모나 이웃님들의 수도 꾸준히 증가하고 있다.

블로그라는 공간 속에서 양질의 글쓰기를 이뤄내고 싶었다. 마침 글쓰기 하나로 블로그를 정복하신 커리어노마드 망형 님의 강의를 들어볼 소중한 기회가 찾아왔다. 그동안 해왔던 블로그, 글쓰기와 더불어 퍼스널브랜딩에서 조언을 받고자 신청했지만 될 줄은 몰랐다. 떨리는 마음으로 찾아뵈어 진솔한 이야기들을 나누었는데, 예정된 3시간의 2배인 6시간에 걸쳐 대화를 나눌 수 있는 소중한 경험이었다.

우리는 모두 사고파는 존재이며, 나라는 상품은 언제든 팔릴 준비가 되어 있어야 한다는 생각이 마음 깊숙이 있었던 나는 글쓰기를 대하는 데 있어서 두려움을 느꼈다. 내 글을 비웃으면 어쩌지. 나중에 봤을 때 정말 형편없는 글이면 어떡하지? 와 같은 생각에 글을 쓰기가 어려웠다. 주식 이야기를 쓰는 내가, 이런 글들을 올려도 되는가에 대한 회의감. 내가 올릴 자격이 안 된다고 생각하는 진입장벽 등이 가로막았었다.

이런 생각이라면 워런 버핏 외에는 주식투자 이야기를 할 수 없고, 재벌 외에는 돈 이야기를 할 수 없어야 하는 걸까? 스스로 자기검열을 하고 있던 나를 되돌아보게 되는 시간이었다. 어차피 내 글을 읽고 반응을 남기는 사람이라면 좋아해 줄 확률이 높다. 처음부터 글을 잘 쓰기란 쉽지 않으니까. 작은 시작을 응원하는 것이다. 강의를 들으면서 크게 느낀 점은 나도 할 수 있을 것 같았다. 그래서, 시도하고 계속 도전해보려고 한다.

소셜미디어의 중요성을 여기서 깨달았다.

비단 블로그뿐만 아니라 다른 매체도 둘러볼 필요가 있었다. 한 명의 개인도 인플루언서가 되어 하나의 기업이 될 수 있다. 관광지에 직접 방문하지 않아도 맛집을 검색할 수 있고, 핫플을 찾을 수 있다. 어쩌면 나 역시 고정관념에 사로잡혀 단순히 매체를 부정적인 것으로만 인식한 것이 아닌지 반성하며 새로운 시작을 위해 발걸음을 내디뎌 보았다.

과감히 유튜브와 인스타그램 계정을 새로 만들었다. 그리고 내게 필요한 정보들을 모으기 위해 새로이 팔로워와 구독을 정리하기 시작했다.

인스타그램의 경우 여행과 취미생활, 여러 프로젝트나 대외활동을 탐색하는 용도로 활용하기로 했다. 명확한 목적을 가진 이후 인스타그램을 세팅하고, 팔로워를 누르다 보니 알고리즘이 반응하기 시작했다. 원래 계정의 알고리즘이었다면 쉽게 접하지 못했을 정보들이 인스타 스토리와 게시물에 뜨기 시작했다. 덕분에 유니세프에서 주관하는 유니프렌즈 대외활동에 참여할 수 있게 되었으며, 굿네이버스에서 주최하는 인성업클 프로그램을 최종 수료하는 과정에 들 수 있었다. 이 외에도 밀리의 서재 북마스터나 20명의 지원자와 강릉 한 달 살기 프로젝트나, 처음 보는 사람들과 함께하는 여행상품 등 다양한 신생기업이나 흥미로운 아이디어를 접할 수 있게 되었다.

유튜브의 경우 현재 두 개의 계정을 운영하고 있다. 하나는 온전히 휴식을 위한 용도이며, 주로 영화와 드라마 리뷰 유튜버들을 구독해 놓는다. 일종의 휴식공간이라고 할까. 나머지 하나의 계정은 자기계발 유튜버 중 나에게 도움이 될 만한 유튜버들로만 다 채워놨다. 시간은 한정되어 있으며, 올라오는 영상들은 너무 많아 시간을 정말 많이 잡아먹기 때문이다. 현재 주식 및 경제 관련 유튜버 15명, 자기계발 유튜버 10명, 마인드셋과 동기부여 유튜버 5명, 등 총 40명 이내에서 정보를 얻기 위한 계정을 따로 만들었다. 주변 사람들은 쇼츠와 유튜브가 정말 시간을 잡아먹는다고 말하지만, 나는 유튜브를 보는 시간도 정말 도움이 많이 된다. 그러다 보니 자연스럽게 심심하지 않게 되었다.

지금 글을 쓰고 있는 프로젝트도 블로그에서 우연히 발견한 프로젝트에 가까웠다. 하나의 프로젝트에서, 나의 과거를 돌아보는 글을 쓰며 짧은 시간이지만 길을 기록한다는 것은 내게 또 한 걸음을 내딛는 것과 다름이 없다는 생각이 들었다.

주식투자, 독서, 글쓰기로 인해 내 인생은, 전보다 훨씬 큰 행복을 느끼고 있다.

투자로 인해 얻은 돈은 나에게 재투자하여 6월에 나 홀로 일본여행을 계획할 수 있었다. 여행을 조금 더 알차고 행복하게 보내기 위해서는 어떤 목표를 세울지 고민해보며 일본어를 공부하겠다는 작은 목표도 세워봤다. 책을 통해 공부하며, 틈틈이 가고 싶은 디즈니랜드와 유니버설스튜디오의 입장권을 미리 노션이라는 앱을 통해 일정을 정리해야겠다 다짐하며 이를 글로 블로그에 기록하며 행복함을 느낀다. 아직 행복함이라는 단어를 정확하게 설명할 수는 없지만, 확실한 것은 멀지 않은 나의 주변에 존재한다는 것을 알게 되었다.

'초연한 글을 읽다 보니 벌써 1시가 되었구나.
나도 이제 일기를 쓰고 자야겠다.
오늘 초연한 너의 글은 무척 좋더구나.

내가 생각한 것보다 더 많은 사랑을 받으며 자라서 다행이고
예상한 만큼 고통의 시간도 견뎌냈더구나….
대견하다.
하기 싫은 걸 꽤 오랜 시간 한다는 건
무척이나 고단한 일임을 알기에
그때의 소년은 조금 아프구나.
허나
이리 잘 자라주어 글도 잘 쓰고 똑똑하니
얼마나 다행인지….'

　나의 글을 이렇게 여운이 짙게 남도록 감상평을 남겨주시는 분도 생겼다. 그러니 나는 행복해야 한다. 앞으로도 고난과 시련은 불쑥 예고도 없이 찾아오겠지만, 뒤에서 묵묵히 응원해주시는 분들이 생겼기 때문에 초연한 삶을 살 수 있으리라 다짐하고 확신한다.

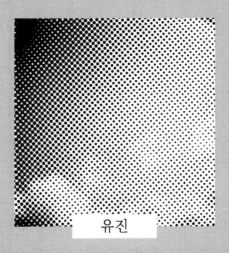

유진

안녕! 지금부터 내 소개를 해보자!

프롤로그

　방 안의 전신 거울 앞, 이제 막 잠옷으로 갈아입은 A는 자리에 앉았다. 씻고 나온 지 얼마 되지 않아서 그런 걸까. 유난히도 도드라져 보이는 모공과 뾰루지를 보며 저도 모르게 끄응 소리를 냈다. 하지만 그것도 잠시, A는 목이 막힐 것을 우려해 잔기침을 했다.

　그리고 바라보았다. 거울 속의 나 자신을. 나 자신인데도 어쩐지 쑥스럽다는 생각이 들었다. 그렇지만 계속해서 바라보았다. 내가 보는 나와 남이 보는 나는 어떻게 다를까 생각하면서.

　맞다. 이 순간 거울 속의 '나'는 '나'지만 '타인'도 되는 것이다. 나와 나와 나. 생각하는 나와 거울에 비친 나와 거울에 비친 타인. 그렇게 우리 셋은 눈을 마주했다. A는 숨을 깊게 들이마신 다음 입을 열었다.

　"안녕. 지금부터 내 소개를 해보자."

*

　"그래. 그러니까 내 최종 목표는 '어제보다 더 나은 내가 되기'야."

　A는 살짝 민망한 듯 웃으며 시선을 피했다. 괜히 얼굴이 빨개지는 기분이 들었다. 하지만 그것도 잠시, 다시 정면을 향해 고개를 들었다. 자

신을 지켜보는 시선이 부담스럽긴 했지만, 이 모든 건 '본인', 그러니까 '자신'을 위한 것이었다. 그 누구도 시킨 적이 없지만 이렇게라도 해야 마음을 다잡을 수 있을 것 같았다. 일종의 자기와의 약속이었다.

"어떻게 하면 어제의 나보다 더 나은 내가 될 수 있을까? 악명 높은 범죄자 검거? 화재 현장에서의 구조 및 탈출 돕기? 뭐, 확실히 대단한 일들이긴 하지만 조금 무리가 있지. 근데 잘 생각해 봐. '어제보다 나은 나'야. 세상을 구한 위인들이 아니라. 그게 무슨 뜻이겠어? 평소 하지 않았던 일, 바로 어제도 하지 않았던 일을 행하면, 그게 바로 더 나은 내가 아닐까?"

내가 보는 나도 남이 보는 나도 어쨌거나 그전보다는 나은 사람이었으면 좋겠다. 간절하지만 과하지 않게. 원하지만 나의 속도에 맞추어서 천천히. 그러다 보면 언젠가 나도 나 자신에게 떳떳해질 수 있지 않을까?

1. 이불을 개다

잠에서 깬 A는 침대에서 내려왔다. 잔뜩 헝클어진 머리를 손으로 쓱쓱 빗으며 가만히 침대를 내려다보았다. 비뚤어진 베개와 반쯤 뒤집어진 이불을 보며 생각했다.

'꼭 내 머릿속 같군.'

평소 잡다한 생각을 많이 하는 A. 어질러진 이불이 자신의 머릿속과

닮았다고 느꼈다. 그리고 하품을 했다. 다시 바라보기를 십초. A는 입술을 앙다물고 이불을 정리했다. 깜빡 잊고 이불을 터는 과정은 생략해버렸지만 결과물은 만족스러웠다. 잘 정돈된 침대 위를 보고 있으니 마음도 머리도 한결 가벼워진 느낌이었다. 1분도 채 되지 않는 시간으로 이렇게 만족스러운 결과물을 낼 수 있다니. 어쩐지 뿌듯한 기분이 들었다.

"응. 그냥 세 번 접어서 그 위에 베개를 올려놓은 게 전부야. 뭐 청소기나 보풀 제거기, 살균 스프레이? 그런 거 일절 안 썼어. 응. 그런데도 기분이 되게 맑아지더라. 그리고 또 뭐랄까. 내 하루가 이제 시작되는구나를 느낄 수 있게 되는 것 같아. 아. 내일은 꼭 잊지 말고 이불도 털어야겠다."

왜인지 설레는 표정을 지으며 A는 내일을 기대했다.

2. 심호흡을 하다

A에게 있어서 오늘 하루는 '화'로 시작해서 '화'로 끝나는 날이었다. 버스에 웬 진상 손님 하나가 타는 바람에 약속 시간에 늦을까 전전긍긍했다. 겨우겨우 늦지 않게 목적지에 도착했건만 친구가 한 시간이나 늦게 나타났다. 여기까지만 해도 기가 찰 노릇이었는데 오랜만에 만난 친구는 아닌 척 끊임없이 자기 자랑만 해댔다. 물론 친구로서 같이 축하해주고 부럽다는 티를 내 줄 수도 있었다. 문제는 그 자랑에 깔린 은근히 무시하는 태도. 열이 받았다. 드라마에서처럼 얼굴에 물을 뿌리고 나올 수도 없었다.

결국 몸이 안 좋단 핑계로 일찍 집에 들어온 A는 침대 위에 가부좌 자세를 하고 눈을 감았다. 예전에는 화가 나면 볼펜을 집어 던지고 인형을 찢는 등의 다소 폭력적인 행동을 하곤 했다. 하지만 그렇게 해서는 화가 풀리지도 않고 망가진 물건은 A를 더 심란스럽게 만들 뿐이었다. 고치고 싶은 버릇 중 하나였다.

그러다 남에게 피해를 주지 않으면서 조용히 화를 풀 방법을 생각하다가 떠올린 것이 바로 '심호흡'이었다.

"후-읍."

최대한 숨을 깊게 들이쉰다. 내 안의 모든 화와 짜증, 복잡하게 얽혀 있는 생각들을 큰 주머니 안에 모은다고 생각하면서.

"후—우. 흡."

그리고 다 모았다는 생각이 들면 다시 최대한 깊게 내뱉는다. 하나도 빠짐없이 이 날숨을 통해 내 안에서 빠져나가도록. 그러다가 다 빠져나갔다는 생각이 들면 숨을 잠시 참는다. 몇 초 동안의 그 무호흡 동안 머리가 깨끗해진 느낌이 든다. 그 상태에서 눈을 뜨고 자신을 화나게 했던 상황에 대해 다시 생각해 본다. 아마 전보다는 더 침착하고 객관적인 시선으로 상황을 살펴볼 수 있을 것이다.

핵심은, 나의 흥분을 가라앉히는 것에 있다.

"왜 그런 말이 있잖아. 남을 비하하는 건 본인의 열등감 때문이라고.

내 친구 눈엔 내가 좀 대단해 보였나 봐. 와중에 나쁜 사람처럼 보이긴 싫어서 대놓고 까진 못하고... 뭐 어쩌겠어. 잘난 사람이 한 번 눈감아주는 거지 뭐. 그리고 나중에 한 마디 해주는 거야. '너나 잘하세요.'라고."

3. 명상을 하다 & 상상을 하다

A는 아침부터 기분이 좋지 않았다. 왜 가끔 그런 날이 있지 않은가. 날씨도 좋고 배도 부르고 여유도 있는데 그냥 기분이 좋지 않은 날. 그 이유를 알 수 없어서 더 화가 나고 답답할 때가 많다. 왜 내 성격은 이 모양 이 꼴일까. 괜히 자괴감에 빠질 때도 있고 주위 사람들에게 미안해지기도 한다.

A는 꿀꿀한 기분을 데리고 들어와 풀썩, 방 안 침대에 드러누웠다. 혼자만의 공간. 뭐라 하는 사람도 없고 열어놓은 창문으로 선선한 바람이 들어와 공기도 쾌적하다. 조용히 눈을 감고 최대한 편한 자세로 심호흡을 두어 번 깊게 내쉰다. 화를 삭이기 위해 하는 것이 아닌 내 몸의 릴랙스를 위한 심호흡.

그리고 떠올린다. 푸르른 잎사귀들과 지저귀는 새들, 나의 몸을 감싸 안는 시원한 바람과 어디선가 졸졸 흐르는 시냇물의 소리를. 아니, 그냥 본인이 편안해질 수 있다면 그 어떤 것도 상관없다. 그저 떠올리고 그 안에 누워 잠시 현실 세계에서 여행을 떠나오는 것이다. 그러다 보면 점점 몸에서 힘이 빠져나가고 나른해지는 나를 느끼게 될 것이다.

"으으음..."

하지만, 가끔은 이런 무조건적인 평화로움도 내 기분 전환엔 도움이 안 될 때가 있다. 그럴 때는? 명상이 아닌 상상! 현실에선 이룰 수 없는 이렇고 저렇고 한 것들을 마구마구 상상해 버리는 것이다. 로또 당첨! 좋아하는 사람과의 연애! 전 세계적으로 인기 있고 명성이 자자한 나 자신! 상상 속에서는 남의 눈치를 볼 필요가 없다. 상상은 제2의 인생을 살 수 있는 가장 편하고도 쉬운 곳이 아니던가! 이런 식으로 도파민을 충전시켰다면 기분이 한결 나아질 것이다.

"주의할 점은 상상과 현실의 괴리를 느끼고 절망하지 않는 거야. 상상함으로써 기분이 풀리고 릴렉스가 되었다면 그걸 바탕으로 현실 세계를 열심히 사는 거야. 열심히 산다는 게 뭐냐고? 글쎄, 그건 사람마다 다 다르겠지? 하루를 끝마치고 이불 위에 누웠을 때 후회가 없다면 그게 바로 열심히 살았다는 증거 아닐까? 할 일을 미루지 않았으니 열심히 살았다! 비록 할 일을 내일로 미루었으나 내 몸과 마음의 평안을 얻었다! 그러니까 난 열심히 살았다! 이것처럼 하루하루를 사는 사람은 나 자신이고, 나만 만족했다면야. 그러면 된 거 아니겠어?"

응원, 오늘 하루도 화이팅! 나는 할 수 있다!

잠에서 깬 A는 믿기지 않는 현실에 눈을 더 감고 있었다. 일어나서 씻고 밥을 먹고 버스 정류장에 가서 이리저리 치이며 오늘 하루를 보내는 자신에 대한 상상을 했다. 상상일 뿐인데도 벌써 피곤하고 마음 한구석이 무겁게 짓눌린 것 같았다. 따뜻한 이불 속을 벗어나기가 싫었다.

'어제 샤워하고 잘걸.'

어제 저녁, 너무 피곤한 나머지 샤워도 하지 않고 잠자리에 든 자신을 원망했다. 이렇게 추운 날씨엔 아침 샤워가 정말 죽을 맛이었기 때문이다. 그때, 두 번째로 맞춰놓은 알람이 울렸다. 끄으응 소리를 내며 겨우 알람을 끄고 시간을 확인했다. 아침 식사를 포기하면 20분은 더 잘 수 있을 터였다. 고민을 하는 사이 어느새 5분이 지나있었다.

'안 돼. 일어나. 더 이상의 늦장은 안 돼!'

두 주먹을 불끈 쥐고 겨우겨우 상체를 일으켰다. 찬 공기가 에워싸는 통에 소름이 돋아 앉은 채로 이불을 뒤집어썼다. 왜인지 평소보다 컨디션이 좋지 않은 것 같다. 몸이 아픈 것도 아니고 크게 걱정할 만한 일이 없는데도 말이다. 저도 모르게 잡힌 미간의 주름을 손으로 쓱쓱 문지르며 자리에서 일어났다.

매일 하는 스트레칭을 생략할까 하다가 짧은 한숨을 내쉬고 두 손을 깍지 껴 머리 위로 쭈-욱 뻗었다. 이상하게 시원하지 않고 뻐근한 느낌이 더 가중되는 느낌이다. 그 상태로 허리를 오른쪽으로 기울였다. 십 초를 센 후 다시 왼쪽으로. 여전히 남아있는 찝찝함을 뒤로하고 목을 뒤로 젖히며 고개를 좌우로 움직였다.

문득, 책상 위에 놓여있는 네 컷 사진이 눈에 띄었다. 며칠 전 친구들과 함께 영화를 보고 난 후 찍은 사진이었다. 해맑게 웃으며 브이 포즈를 한 채 사진 밖 나를 바라보는 사진 속의 나. 피식하고 웃음이 났다.

'맞아. 오랜만에 만나는 거라서 아침부터 들떠 있었지?'

이러한 생각이 드는 순간, 무언가가 머릿속을 빠르게 스쳐 지나갔다.

'매일 아침마다 이렇게 기분이 좋을 수 있다면 좋을 텐데. 하지만 기분 좋은 일이 항상 일어날 수는 없는 거고.'

사진 속 나와 얼굴을 마주하며 고민하기를 시간이 얼마나 지났을까. 내가 지금 당장 바꿀 수 있는 건 '마음가짐'이라는 생각이 들었다. '+' 더하기 '+'는 '+'. '+' 더하기 '−'는 '0'. '−' 더하기 '−'는 '−'. 어쨌든 간에 지금 내 기분이 마이너스라면 차라리, 차라리 제로가 낫지 않겠는가.

A는 눈을 감고 천천히 호흡을 내쉬며 불안하고 부정적인 기운들을 의식적으로 떨쳐냈다.

'난 기분이 좋아진다, 난 행복해진다, 나는 오늘 하루를 기운차고 활기차게 보낼 수 있다!'

물론 내가 마법사는 아니기에 이렇게 되새긴다고 기운이 뿡! 솟아날 수는 없다. 하지만 이런 생각을 하며 나 자신이 더 나아지기를 바란다는 것 뿐만으로도 충분히 마음이 따뜻해지는 것이다.

나는 나를 위해 정말 노력하고 있구나. 나는 나 자신을 믿고 있구나. 나는 나를 버리지 않겠구나. 스스로 이렇게 생각하며 나의 가장 든든하고 강력한 편, '나'라는 사람을 아군으로 얻게 되는 것이다.

"좋았...! 음..."

아침 댓바람부터 큰 소리로 나 자신을 응원하기엔 아직 조금 민망한 것 같다. 하지만,

'좋았어! 나는 오늘 하루를 아주 파이팅 넘치게 보낸다! 할 수 있다! 아자아자!'

소리를 내고 말고 가 뭐가 중요한가. 나의 가장 큰 편인 내가 이렇게 속에서부터 응원을 해주고 있는데. 그러니까, 난 할 수 있다. 나는 오늘도 살아갈 수 있다. 그것도, 아주 기운 넘치게!

4. 독서를 하다

A는 책 한 권을 집어 들고 소파 한 귀퉁이에 자리를 잡았다. 며칠 전 도서관에서 빌린, 그저 표지가 예뻐서 손이 간 로맨스 소설이었다. 한 번도 가보지 못한 어느 무인도를 상상하며 A는 책에 깊이 빠져들었다.

평소 장르 구분 없이 책을 읽는 A에게 독서란, 가성비가 좋은 하나의 여행이었다. 어느 순간, 안나푸르나의 찬바람이 느껴지기도 하고 외계 생명체와의 만남도 가능했다. 특별할 것 없는 일상 속, 독서는 가장 쉽게 기분을 전환해 준다. 그저 펴서 읽기만 하면 되는 간단한 행위. 이 행위를 함으로써 얻는 게 정말 많다.

"얻는 것도 많고 그걸 응용할 수도 있고. 예를 들어 '에티오피아'라는 나라에 관련된 책을 읽었다고 치자. 이미 나는 그 나라에 대한 지식을 얻었어. 그리고 가보고 싶다는 생각이 들었어. 그러면 인터넷에 검색

도 해보고 가는 방법에 대해 찾아보기도 하겠지? 정말 지금 당장 갈 생각이 없더라도 꽤 기분 좋을걸? 설레기도 하고. 책을 읽음으로써 지식도 얻고 설렘도 얻고 아마 다른 사람들과의 커뮤니케이션을 하게 될 수도 있을 거야. 독서는 해서 나쁠 거 없는 가장 쉬운 자기 계발이라고 생각해."

5. 홀로 ~하다

A는 무작정 밖으로 나왔다. 아무런 계획도 없이. 달랑 휴대폰과 지갑만 손에 든 채. 밖으로 나온 이유는 그저 집 안에서 할 게 없어서였다. 혼자 소파 위에 누워 무료한 시간을 보내던 중 그저 맛있는 게 먹고 싶었다는 것이 이유라면 이유가 되겠다.

집 밖에는 맛있는 음식점들과 카페들이 많았다. 하지만, A는 아직 혼자서 식당에 들어가 밥을 먹어본 적이 없었다. 다른 사람들의 시선이 의식되기도 했고 단순히 식당에서 혼밥을 하는 본인의 모습이 상상이 가지 않았기 때문이다.

집에서야 내가 뭘 하면서 먹든 신경 쓰는 사람이 없었지만 밖은 달랐다. 내 행동 하나하나가 감시되고 입방아에 오를 것 같은 느낌이었다. 다시 집으로 발걸음을 옮기려던 찰나, 한 문장이 생각났다.

'뭐든지 처음이 가장 어렵다!'

움찔하는 발가락을 편하게 하고 한 발짝, 미지의 세계로 첫걸음을 내

디뎠다. '혼밥'이라는 어떻게 보면 사소하고 별거 아닌 일을 해내고 나면 어쩐지 한 단계 성장할 수 있을 것 같은 기분이 들었다. 나쁘지 않은 기분이었다.

주변을 탐색하던 A는 테이블 수가 많지 않은 작은 식당에 들어갔다. 몇몇 손님이 있었지만 그들은 A에게 아무런 관심을 보이지 않았다. 긴장한 티를 내지 않으려고 노력하면서 구석지고 식당 전체를 볼 수 있는 자리에 가서 앉았다. 남들이 본인을 보고 있지 않다는 것을 의식하기 위해서였다.

휴대폰으로 궁금하지도 않은 뉴스 기사들을 보면서 벽에 머리를 살짝 기대었다. 식당의 어느 누구도 A에게 그 어떤 관심 어린 눈빛을 보내지 않았다. 마음이 편안했다. 주문한 음식이 나오고 여전히 휴대폰을 하면서 밥을 먹지만 아까보다는 몸이 풀어진 기분이었다.

"내 인생 첫 혼밥이었어. 솔직히 무슨 맛이었는지 기억도 안 나. 그래도 뭐랄까. 나한텐 진짜 큰 용기가 필요한 도전이었거든? 남들이 보면 오버 한다고 생각할 수도 있지만... 뭐 어때. 난 지금 내 자신이 엄청 뿌듯한데. 앞으로는 혼밥 말고 다른 것도 혼자서 할 수 있을 것 같아. 혼자서 영화도 보고, 만화카페도 가고, 사진도 찍으러 가고... 와. 벌써부터 기대된다!"

6. 메모를 하다

A는 무작정 종이와 펜을 꺼내 들고 생각에 잠겼다. 이미 반 이상이 낙

서로 채워져 있는 종이였지만 딱히 상관은 없었다.

검지와 중지 사이에 볼펜을 끼우고 까딱까딱하기를 몇 분이나 지났을까. 볼펜 끝을 종이에 대고 무작정 아무 말이나 써 내려갔다. 주제도 없고 쓰고 싶은 것도 없다. 그저 그냥 손이 이끄는 대로, 머릿속에 생각난 글자를 아무렇게나 끄적일 뿐이었다.

그러니 한눈에 봤을 땐 완벽한 단어도 문장도 없는, 꼭 외계어 같은... 글? 이걸 글이라고 부를 수 있는지에 대해서도 의문이 생기는 글자 모음집만 남게 된다. 하지만 그것을 처음부터 차근차근 읽어본다면 군데 군데 완전한 단어들이 하나씩 보이게 된다. 그것들을 보고 있자면 '내가 왜 이 단어를 썼을까?'하는 생각이 들곤 한다.

정말 의미가 없는 단어 혹은 문장일 수 있지만 가끔 멈칫하고 들여다 보게 되는 것들이 있다. 그것들이 왜 나의 눈길을 끌었을까. 곰곰이 생각해 보고 고민을 해도 답이 안 나온다면 그냥 잊어버리자. 머리를 비우는 건 거기서부터 시작된다.

"혹시 '호수 위 낙엽 이론'이라고 들어봤어? ...맞아. 아무도 모를 거야. 방금 내가 즉석으로 지어낸 이론이니까. 개인적으로 편안하고 안정된 기분을 느끼기 위해선 마음이 평화로워야 한다고 생각해. 마음이 편안하려면 머릿속에 있는 잡다한 생각들을 비우는 게 우선일 것 같고. 그러니까 이 잡다하고 쓸데없는 생각들을 '낙엽'에 비유해서 '내 머릿속'이라는 잔잔한 호수 위에서 걷어내 보도록 하자. 낙엽들을 걷어내면 호수 밑에 가라앉아 있던 산뜻하고 새로운 보물 상자가 떠오를 수 있거든."

당신의 비난은 거름이고 새참일 뿐이다.

"… …"

A는 자신을 향해 손가락질을 하고 큰 소리로 폭언을 퍼붓는 상대방을 그저 바라만 보고 있었다. 그가 하는 말은 무섭고, 두렵고, 상처가 되는 말뿐이었다. 분명 내가 보고 있고 듣고 있고 모든 걸 다 느끼고 있는데 꼭 어딘가에 고립된 것처럼 현실감이 없었다. 그렇다면 분명 상처받지 않아야 정상일 텐데.

명치 깊숙한 곳에서부터 답답하고 응어리진 무언가가 몸 전체로 퍼져 나가는 것 같았다. 결국엔 목을 타고 위로 올라온 그 무언가가 코 끝을 찡하게 하더니 어느새 눈 밖으로 그 실체를 드러내었다. 무기력함. 비참함. 그저 흐르는 눈물을 닦을 뿐, 그 외에 아무것도 할 수 없는 본인이 원망스러우면서도 현실이 꿈이길 바랄 뿐이었다.

나는 왜 이 사람에게 무어라 반항하고 저항할 수 없는 걸까? 내 목숨을 가지고 협박하는 것도 아닌데 왜 아무것도 할 수가 없지? 당장에라도 저 사람은 할 수 있는 게 그저 소리치는 것 밖에 없는데… …그런데 왜 저항할 수가 없을까?

"… …"

그저 큰 소리일 뿐이다. 차가 잔뜩 막히는 고속도로, 공사가 한창 진행 중인 공사장, 취객들의 술 냄새나는 고성. 같은 큰 소린데 왜 다르게 받아들여지는 걸까.

나와 관련이 있느냐 없느냐의 차이? 저 사람이 하는 말은 나를 두고 하는 말이라서 신경을 끌 수가 없는 건가? 그렇다면 나는 앞으로도 계속 이 사람의 말을 무력하게 듣고만 있어야 하는 건가?

나는 저 사람에게 잘못한 것이 있는가? 아니, 나는 잘못한 것이 없다. 내가 태어난 것이 저 사람에게 용서를 빌어야 하는 일인가? 아니, 나는 잘못한 것이 없다. 내가 내 할 일을 열심히 하면서 나름의 삶을 가꾸어 나가는 것이 죄송해야 할 일인가? 아니, 나는 잘못한 것이 없다.

"… …"

그래. 나는 잘못한 것이 없다. 저 사람은 그저 억지를 부리고 있을 뿐이다. 나의 고통을 양분 삼아 본인의 자존감을 키우는, 너무나도 잘하는 게 없고, 하려는 의지도 없고, 있다 해도 그럴 능력이 없는! 말 그대로! 당신은! 불쌍한 사람! …사실은 하나도 안 불쌍해! 나한테 이렇게 상처만 주고 아무것도 할 수 없게 만드는 사람이 뭐가 불쌍해! 나는 드라마 속 용기 있고 굳세게 인생을 살아나가는 주인공이 아니야! 웬만하면 힘든 일은 내 인생에 없었으면 좋겠고 시련 따위 개나 줘버렸으면 좋겠어! 시련을 통한 성장! 그런 건 원하는 사람이 따로 있지 않을까?!

"… …"

한 번에 휘몰아치는 당혹감과 비현실적인 감각 때문인지 나도 모르게 느낌표를 팍팍 써가며 속으로 화를 끓였다. 끓었다 뿐이지 아직 뚜껑 밖으로 못 나온 김과 같아서 답답한 건 여전하다.

"...후우..."

자, 이 한숨으로 잔뜩 뭉쳐있던 김을 내보내자. 그리고 침착하게 생각하자. 나 자신을 위해서. 내가 더 이상 상처받지 않기 위해서. 오로지 내가 앞으로의 삶을 더 잘 살 수 있도록 힘을 보태주기 위해서.

"~@~#@!@#~#!"

저 사람이 쏟아내는 말은 마치 칼날과도 같아서 스치는 것만으로도 피를 보게 하고 그중 정통으로 꽂히는 건 나에게 치명상을 입혀 더 이상 일어설 수 없게 만든다.

그렇다면 그 칼날에 내가 더 이상 다치지 않으려면 어떻게 해야 할까? 피하는 것도 한계가 있고 나는 내구성이 약한 몸이다. 한 번 받은 상처는 아무는 데 오랜 시간이 걸리고 그 상처에 한 번 더 칼을 맞는다면 아마도 회복 불가일 것이다.

이럴 때는 그냥, 저 사람이 가지고 있는 칼을 뭉뚝하고 크기도 작은 장난감 칼로 바꿔치기하는 것이다. 나에게 장난감 칼을 던져봤자 간지러울 뿐이고 우습기까지 하다. 저 성난 얼굴로 던지는 게 고작 이런 장난감이라니. 이런 건 내 방패에 흠집만 낼 뿐 결코 아무런 상처도 낼 수 없다.

"... ..."

내 능력에 대한 비난은 거름 삼아 확인만 하고 밭에 뿌려놓는다. 나에

대한 인신공격은 확인할 가치도 없으므로 '어쩌라고, 어쩌라고.' 하며 대형 폐기물 봉투에 쑤셔 넣는다.

비판은 진지하게 듣되 비난은 가벼운 마음으로 흘려듣는다.

나에게 해만 되는 이 쓸데없는 말을 뭣하러 온 감정을 써가며 듣고 있었는지. 앞으로 멋진 작물이 자랄 나의 밭에 쓰레기를 버리는 사람은 이미 본인의 농사를 망쳤을 확률이 크다. 그것뿐이면 다행이게. 아마 악취도 심하게 나고 더 이상 손을 쓸 수 없을 정도로의 쓰레기들이 산을 이루고 있을 것이다.

언젠가 내 밭에 작물들이 자라기 시작하면 저 사람이 할 수 있는 건 아무것도 없을 것이다. 나뿐만이 아니라 내 농사를 도와준 사람들이 가만히 있지 않을 테니까. 쓰레기는 점점 더 빠른 속도로 치울 수 있게 될 것이고 그러다 보면 밭 귀퉁이에 아예 쓰레기통을 하나 들여놓을 수도 있을 것이다. 그러니까 나는 당신의 그 어리석고 무질서한 비난을,

'… … 냠냠.'

새참이라고 생각하며 농사일에 더더욱 매진해 세계에서 제일가는 농부가 되렵니다!

에필로그

방 안의 전신 거울 앞, 이제 막 잠옷으로 갈아입은 A는 자리에 앉았다. 씻고 나온 지 얼마 되지 않아서 그런 걸까. 유난히도 도드라져 보이는 모공과 뾰루지를 보며 저도 모르게 끄응 소리를 냈다. 하지만 그것도 잠시, A는 목이 막힐 것을 우려해 잔기침을 했다.

그리고 바라보았다. 거울 속의 나 자신을, 타인을. 거울 속 '나'이자 '남'이 어색하게 눈을 마주쳐 왔다. 저도 모르게 웃음이 나왔다.

살아있는 나, 용기를 낸 나, 살아있는 너, 용기를 낸 너. 그런 그들에게 오늘도 인사를 건넨다.

"안녕. 오늘도 내 소개를 해보자."

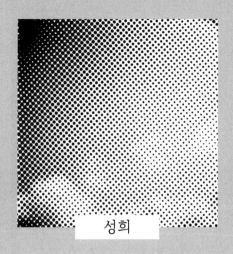

성희

그러한 나의 하루입니다

그러한 나의 하루입니다

하루의 조각을 그러모아 글줄에 써 붙였습니다.

조각끼리 이어 붙인 자국이 남아 지워지질 않습니다.

비루한 제 글줄을 씨실과 날실 삼아 한데 엮으니, 삶이 되었습니다.

엮어낸 삶이 어쩐지 좀 눅눅한 듯하여 볕이 잘 드는 곳에 걸어주었습니다.

온통 바람이 부는 어느 날이었습니다.

아마 그대가 내게 왔던 날이었을까요.

아니면 그대가 내게서 떠나간 날인지 이제는 기억나지 않습니다.

온통 바람이 몰아쳤고, 바람에 올라탄 제 삶은 어디론가 날아올랐습니다.

삶이 나부끼며 멀리 날아가는 것을 봅니다.

누덕누덕한 삶은 하루와 크게 다르지 않아 보였습니다.

그럼에도 하늘 높이 날아오른 그 삶은 한없이 자유로워 보였습니다.

괜히 심통이 나는걸요.

나는 쭈그려 앉은 그대로인데, 삶이 저 멀리 날아가 버렸으니.

나도 바람에 올라탄 채 저 멀리 떠나고 싶다는 상상을 해봅니다.

한참 멀리, 눈에 보이지도 않을 곳까지 말이에요.

아, 저 멀리 날아가 버린 그 삶을 호시절이라 부를까요.

좋았던 시절이라서가 아니라 뭐든 좋아 보였던 시절이라 그렇습니다.

어쩌면, 어디선가 올라탄 바람이 흩어져

바닥에 처박힌 채 이리저리 구르고 있대도

이곳에서 가만히 바스러진 조각들을 줍는 일보다는 나을 테니까요.

왠지 더욱 공허하게 느껴지는 마음을 추스르며

다시금 하루의 조각을 그러모으려 쭈그려 앉는 것이었습니다.

반복되는 하루입니다.

반복되는 나의 하루입니다.

잔액이 부족합니다

언젠가 그대와 술 한잔하다 나온 이야기였지요.

사랑과 돈은 참 비슷하다 그랬나요.
정말 그렇게 생각해요?

모두가 원하고

모두가 가지고 있고

에이
돈 한 푼도 없는 사람이 어딨어요,

돈에 대한 개념이 없는 사람은 있을 수도 있겠네요.

아
나이 어린 사람들이
잘 모른다는 점도 그렇네요.

둘 다 이것만 원하면 점점 더 멀어져만 간다는 점도

세상에 이건 별거 아니라는 사람이 많다는 점도 비슷하네요.

그렇게 느껴질 때가 있다는 것도

전혀 그렇지 않다는 것까지도요

하나하나 뜯어보면

이것만큼 더럽고 치사한 것도 없다는 점도

그럼에도 모두가 원한다는 것도

참 알기 어려운 무언가인 것도

비슷하네요.

그날 술자리를 계산하고자 호기롭게 내민 제 카드는 잔액 부족이었대요.

그 사람과 잘 되지 못한 건 아마 잔액이 부족해서였을 거예요.

그게 돈이든, 사랑이든 간에.

날개가 되지 못한

자취를 시작하고 난 후
늘 비슷한 반찬을 먹는 것에 질려
이런저런 요리를 시도해 보는 그런 시기가 있다.

그날도 그런 날이었다.
꽤나 호기롭게 고등어를 집어 든
그것도 생물 고등어를 시장에서 사 온 그런 날이었다.

그는 크고 둥그런 눈을 시퍼렇게 뜨고 있었다.
스티로폼과 비닐에 싸여 있던
그의 몸을 토막 내어 손질하는 와중에도
뜬 눈은 분명 무언가를 바라보고 있었다.

그는 무엇을 보고 있었을까.
차갑고 어두운 바닷속을 헤엄치다
그물에 온몸이 묶인 채 물 위로 끌어올려질 때
그는 생애 처음으로 파란 하늘을 마주했을 것이다.

어쩌면 타는 듯한 노을이 지고 있는
보랏빛 하늘이었을지도,
어쩌면 반짝이는 별들이 쏟아질 것만 같은
까만 밤하늘이었을지도 모른다.

아가미가 말라가며 숨이 희미해지는 순간에도
그는 하늘을 눈에 담고 싶었던 걸까.
날개가 되지 못한 지느러미를 잘라내며
나는 감지 못한 그의 눈을 가려주었다.

...

요 근래 어디를 다니던
하늘을 멍하니 올려다보는 일이 많아졌다.
그물에 엮인 채 하늘을 마주한 그처럼
그저 하늘을 두 눈 가득 담아내고 싶었는지도 모른다.

하루에 매인 채 멍하니 위를 올려다보니
푸르른 하늘이 내게 한가득 안겼다.

그 파란 빛에
눈을 감을 수 없었다.

그러한 나의 하루입니다

외로움 레시피

마음이 허기졌던 내게
몸의 굶주림마저 채워 넣는 일은
너무나도 어려운 일이어서
냉장고엔 손도 대지 않은 채
시체처럼 누워있는 나날들이었습니다.
냉장실에 처박힌 채
몇 날 며칠을 기다린 음식에선
쿰쿰한 진물이 뚝뚝 떨어졌습니다.
잊혀져 버린 마음이 짓물러버린 듯 했습니다.
그것은 진물이라기엔 묽었고
눈물이라기엔 지나치게 끈적했으니
그 둘이 합쳐진 것인가 생각하였습니다.
슬픔이 되어버린 마음을
잘게 썰어 식사에 뒤섞어 넣었습니다.
매일 조금씩 모아왔던
그리움도 한 줌 집어 뿌렸습니다.
잘려져 흩어진 마음은
그저 외로운 내가 될 뿐이었습니다.

괜스레
목이 막혀 왔습니다.

초여름 안부

안녕하세요.

어느새 밤보다 낮이 길어졌습니다.

건강하게 잘 지내고 계신가요.

저는 건강하지 못합니다.

그야 당연합니다.

성큼 다가온 계절과 달리 제 밤은 아직 길고 길기만 한걸요.

말이야 거창하지만 그냥 잠을 잘 못 잔다는 이야기입니다.

사람은 적어도 6시간 정도는 자야 정상적으로 작동한다나요.

이런 사람의 설계도는 누가 만들었는지,

어떻게 뜯어고쳐야 잠을 적게 자도 멀쩡할 수 있을까,

저라는 사람의 사용 설명서에는 뭐라고 적혀 있을지,

난 물건을 사면 설명서는 읽지도 않는 사람인데,

그것마저도 주의 사항에 작은 글씨로 적혀 있을지,

그런 시답잖은 생각을 하며 밤을 지새웁니다.

말이 길어졌네요.

여튼 잠을 조금 자고, 일을 많이 하고 있습니다.

...

그러한 나의 하루입니다

요즘 어떻게 지내시나요.

저는 그야말로 아직 겨울에 살고 있는 듯 합니다.

두꺼운 솜이불도 아직 바꾸지 않았고,

얇아지긴 했지만 여전히 긴팔과 긴바지를 걸치고 다닙니다.

제법 만연해진 더위에도 차라리 땀을 삐질삐질 흘리는 게

못난 나를 내보이는 것보다 낫다 느끼는 탓일 겁니다.

당신을 그리워하며 잠 못 드는 밤이면

끄적였던 글줄은 어느새 꽤나 쌓여 방구석 한켠을 채웠고,

이제는 당신을 닮은 뒷모습을 스쳐 지날 때 흠칫 놀라지 않습니다.

...

그렇게 글줄에 파묻혀 살다 보니

어느샌가 지나쳐 버린 봄과 인사도 하지 못한 채,

코앞까지 다가온 여름에 이래저래 낯을 가리다가,

창문 새로 스며든 후덥지근한 바람에 몽롱해진 요즘입니다.

아직 선선한 밤에 살고 있는 제겐 낯설기만 한 따스함입니다.

아무리 생각해도 익숙해지기엔 어려울 것만 같은 걸요.

베란다 구석에서 햇볕을 쬐고 있던 선풍기를 꺼냈습니다.

날개에 붙은 먼지를 손끝으로 쓸어내려 봅니다.

추억이

잔뜩 묻어있습니다.

늘어지는 오후 깜빡 빠져든 낮잠 속 꿈에

당신이 슬그머니 찾아오는 계절입니다.

당신이 내게 찾아오는 건 꿈 속 뿐이란 걸 이제는 알기에,

장난스레 손을 흔드는 당신에게 닿지 않을 안부를 전하는 초여름입니다.

그러한 나의 하루입니다

결과 여

남은 것을 모아 엮습니다

충분치 않아도 괜찮습니다

넘쳐났던 적도 없거니와

많지 않기에 더욱 소중한 까닭입니다

이지러진 마음이 이내 바스러집니다

한껏 쏟아냈으되 갈 곳을 잃은 탓입니다

탓이라 하면 조금 그렇나요

그대 탓이 아니라 내 탓

그것도 아니라면 그대 덕이라 하겠습니다

이미 이지러진 마음이기에

갖다 붙일 말들이야 아무런 상관없는 까닭입니다

산산이 깨어진 마음을 모아 이어 붙입니다

언제까지고 선명할 그대 모습의 테두리를 따라

조각들을 끼워 맞춰 봅니다

빛을 잃은 눈동자엔 그림자만 늘어질 뿐이니

이어 붙인 그대 윤곽은 그대와 다르지 않았습니다

깨어진 틈 사이로 이슬이 맺혀 들었습니다

그 속에 비치는 건 어쩔 수 없게도 그대 모습이겠습니다

노을 합병증

억지로 끼워 맞춘 퍼즐들은
꼭 맞지도 않는 테두리로 서로를 꼭 붙든다

그것이 참 고까워서, 빛이 바래고 삭아도
마지막 한 귀퉁이 조각을 숨겨두고 있었다

내가 무언가 주려고 할 때면
넌 그저 내게 손을 흔들 뿐이었고

난 짓무른 상처를 뒤로 숨기며 애써 웃었다
난 여전히 너의 표정을 읽는 데 서툴렀다

노을이 지는 게 참 예뻐 보여서
손에 쥐려 팔을 뻗었는데

햇살은 기어코 물집 사이를 비집고 들어와
짓무른 상처들을 터트리기엔 충분해
상처로부터 걸쭉한 슬픔이 말한다

그러한 나의 하루입니다

너는 행복하니

아물지 못하고 터져버린 상처들은
이제 더 이상 진물이 나지 않았고
너는 작은 홍점만 남기고 떠났다

사랑은 병이야, 중얼거린 네가 열병처럼 번졌고
나는 속절없이 너를 앓았다

밤새 콜록대며 내뱉은 숨은 온통 붉었다
창밖에선 노을이 저물어 가고 있었다

신호등

깜빡이는 초록빛

붉게 물들기 전

애처롭게 반짝거리던

나의 청춘

그러한 나의 하루입니다

막차 버스

정처 없이 달리는 버스 안에서
이리저리 흔들리는 손잡이 하나 안쓰러워
꼭 그러쥔 뒤 떨림이 멎을 때 즈음
잡았던 손 살며시 놓으니
흔들리는 건 네가 아닌 나였구나

물 내음

늦은 새벽
안개 낀 밤공기엔 물 내음이 났다
구름 가득한 하늘
비가 오려나 보다.
눈물이 가득 들어찬 내 마음에서도
넌 물 내음을 맡았던 걸까

그러한 나의 하루입니다

내 생의 마지막

하루를 살아가는 게 아닌
매일을 죽어가는 내가

네 곁을 찾는 건
어쩌면 당연한 일이었을지도 모른다.

죽음을 직감한 나약한 짐승은
홀로 떨어져 편안한 자리를 찾으니

네 곁이 바로 그토록 찾던
내가 숨을 거둘 자리였을까

너에게 내가 희미해질지라도
언젠가 이 자리를 지나칠 때면
너는 나를 떠올릴 수밖에 없을 테니

그렇게라도 네게 남고 싶었던
내 마지막 몸짓이었음을
너는 영원히 몰랐으면 했다

쉬운 사람

넌 날 참 쉽게 만든다

쉽게 웃게 만들고
쉽게 행복하게 만든다

쉽게 울게 만들고
쉽게 슬퍼지게 만든다

쉽게 그리워하게 만들고
쉽게 망가지게 만든다

그렇게 내가 망가지도록
넌 내버려둔다

그럼에도 나는 여전히
너에겐 참 쉬운 사람이다

그러한 나의 하루입니다

저 멀리

저 멀리 바다물결 햇살을 받아 반짝인다
난 윤슬을 바라보느라 눈이 멀어가고 있었다
하지만 그 반짝임을 눈에 담지 못한다면
그것이 장님과 무엇이 다르겠냐는 생각이었다

민들레

민들레 꽃 한 송이 꺾어다
내 속마음 한 움큼 담아서 날린다
시간이 흘러 꽃이 필 즈음에
전하지 못한 내 마음도 같이
당신 맘 속에서 피어나길

그러한 나의 하루입니다

그림자

넘실대는 빛을 따라 테두리를 그려보면
길게 늘어진 그림자가 나를 되돌아봅니다

그 일렁임이 꼭 내 마음을 닮아서
그 희미함이 꼭 내 사랑을 닮아서

돌아오는 길 내내 나를 따라오는 그것을
차마 떨쳐내지 못했습니다

성희

우리, 삶의 조각을 합치려 해

발행 | 2024년 6월 17일
저자 | 유화, 심정, 정한, 이희정, 이동환, 유진, 성희
펴낸이 | 이창현
디자인 | 비파디자인
펴낸곳 | 고유
출판사 등록 | 2022.12.12 (제2022-000324호)
주소 | 서울특별시 마포구 와우산로3길 29 2층
전화 | 070-8065-1541
이메일 | goyoopub@naver.com

ISBN | 979-11-93697-07-8 (03810)
www.goyoopub.com